中國美術全集

陶瓷器四

全國百佳圖書出版單位

時代出版傳媒股份有限公司

黃山書社

目　　錄

清 (公元一六四四年至公元一九一一年)

頁碼	名稱	時代	發現地	收藏地
906	青花壽山福海紋花盆	清・康熙		南京博物院
907	青花携琴訪友圖花盆	清・康熙		南京博物院
907	青花麻姑獻壽紋菱花口花盆	清・康熙		南京博物院
908	青花白牡丹蟠螭紋觚	清・康熙		故宮博物院
908	青花夔龍紋蓋罐	清・康熙		故宮博物院
909	青花纏枝西番蓮紋蓋罐	清・康熙		南京博物院
909	青花團壽紋蓋罐	清・康熙		故宮博物院
910	青花雲肩花卉紋蓋罐	清・康熙		首都博物館
911	青花麒麟紋盤	清・康熙		首都博物館
911	青花雙龍紋碗	清・康熙		故宮博物院
912	青花牡丹紋碗	清・康熙		南京博物院
913	青花花卉紋大碗	清・康熙		故宮博物院
913	青花春耕圖紋碗	清・康熙		故宮博物院
914	青花竹林七賢圖碗	清・康熙		江西省景德鎮陶瓷歷史博物館
914	青花人物圖净水碗	清・康熙		北京藝術博物館
915	青花竹紋竹節壺	清・康熙		故宮博物院
916	青花松竹梅紋執壺	清・康熙		故宮博物院
916	青花纏枝牡丹紋印盒	清・康熙		故宮博物院
917	青花銘文筆筒	清・康熙		南京博物院
917	青花滕王閣圖缸	清・康熙		天津博物館
918	黄地青花雲龍紋碗	清・康熙		南京博物院
918	青花緑彩雲龍紋盤	清・康熙		南京博物院
919	青花緑彩雲龍紋盤	清・康熙		江西省景德鎮陶瓷歷史博物館
920	青花釉裏紅樓閣圖盤	清・康熙		上海博物館
920	青花釉裏紅山水紋菱口盤	清・康熙		土耳其伊斯坦布爾托布卡博物館
921	青花釉裏紅鴛鴦蓮池紋三足洗	清・康熙		上海博物館
922	醬釉地青花釉裏紅龍紋葫蘆瓶	清・康熙		英國倫敦維多利亞和阿爾伯特國立博物院
922	釉裏三彩海水雙龍紋瓶	清・康熙		上海博物館
923	釉裏紅折枝花卉紋水丞	清・康熙		故宮博物院
923	釉裏紅雲龍紋碗	清・康熙		故宮博物院
924	釉裏紅夔鳳紋瓶	清・康熙		上海博物館
924	釉裏紅銅鏡紋長頸瓶	清・康熙		天津博物館
925	釉裏紅海獸洗口瓶	清・康熙		南京博物院
925	釉裏紅纏枝牡丹紋瓶	清・康熙		故宮博物院

頁碼	名稱	時代	發現地	收藏地
948	五彩百鳥朝鳳圖盤	清・康熙		上海博物館
949	五彩龍紋盤	清・康熙		故宮博物院
949	五彩描金花蝶紋攢盤	清・康熙		上海博物館
950	五彩西廂記圖缸	清・康熙		中國國家博物館
950	五彩釉裏紅海水雲龍紋缸	清・康熙		中國國家博物館
951	五彩加金獸面紋方熏	清・康熙		故宮博物院
952	五彩加金開光蓮花紋枕	清・康熙		故宮博物院
952	五彩加金花鳥紋八方花盆	清・康熙		故宮博物院
953	紫地琺瑯彩蓮花紋瓶	清・康熙		故宮博物院
953	藍地琺瑯彩牡丹紋碗	清・康熙		故宮博物院
954	藍地琺瑯彩纏枝牡丹紋碗	清・康熙		上海博物館
954	黃地琺瑯彩花卉紋碗	清・康熙		故宮博物院
955	黃地琺瑯彩纏枝牡丹紋碗	清・康熙		故宮博物院
955	冬青釉五彩加金花鳥紋花盆	清・康熙		故宮博物院
956	冬青釉青花礬紅海天浴日紋碗	清・康熙		故宮博物院
957	冬青釉描金山水圖洗	清・康熙		故宮博物院
957	三彩蓮池圖攢盤	清・康熙		上海博物館
958	素三彩花果紋盤	清・康熙		上海博物館
959	雕地龍紋素三彩花蝶紋碗	清・康熙		南京博物院
959	素三彩虎皮斑紋碗	清・康熙		南京博物院
960	素三彩鏤空錢紋香熏	清・康熙		故宮博物院
960	釉下三彩山水紋筆筒	清・康熙		臺北故宮博物院
961	素三彩綠地海馬紋瓶	清・康熙		天津博物館
961	黑釉描金盤口瓶	清・康熙		故宮博物院
962	黑地三彩爐	清・康熙		上海博物館
962	綠彩八寶雲龍紋蓋罐	清・康熙		故宮博物院
963	藍地黃龍紋盤	清・康熙		故宮博物院
964	白釉花觚	清・康熙		故宮博物院
964	白釉凸花團螭紋太白尊	清・康熙		故宮博物院
965	白釉鏤花碗	清・康熙		故宮博物院
965	豆青釉暗花筆筒	清・康熙		天津博物館
966	豆青釉堆花雲紋馬蹄式水盂	清・康熙		南京博物院
966	青釉橄欖式瓶	清・康熙		浙江省寧波市文物管理委員會
967	青釉凸花海水雲螭紋瓶	清・康熙		故宮博物院

頁碼	名稱	時代	發現地	收藏地
968	黃釉暗花提梁壺	清·康熙		故宮博物院
969	黃釉暗花西番蓮紋盤	清·康熙		南京博物院
969	黃釉淺浮雕龍紋長方形杯托	清·康熙		南京博物院
970	豇豆紅釉暗刻團形螭龍紋太白尊	清·康熙		南京博物院
970	豇豆紅釉水盂	清·康熙		上海博物館
971	豇豆紅釉菊瓣瓶	清·康熙		故宮博物院
971	豇豆紅釉柳葉瓶	清·康熙		故宮博物館
972	霽紅釉梅瓶	清·康熙		故宮博物院
973	珊瑚紅釉瓶	清·康熙		首都博物館
973	郎窯紅釉膽式瓶	清·康熙		故宮博物院
974	郎窯紅釉瓶	清·康熙		天津博物館
974	郎窯紅釉觀音尊	清·康熙		中國國家博物館
975	霽藍釉碗	清·康熙		故宮博物院
975	天藍釉菊瓣尊	清·康熙		中國國家博物館
976	天藍釉凸拐耳梅瓶	清·康熙		故宮博物院
977	天藍釉琵琶式尊	清·康熙		故宮博物院
977	天藍釉刻菊花長頸瓶	清·康熙		中國國家博物館
978	茄皮紫釉螭耳瓶	清·康熙		故宮博物院
979	灑藍描金博古圖菱口碗	清·康熙		南京博物院
979	孔雀綠釉凸螭紋方鼎	清·康熙		故宮博物院
980	青花海水龍紋瓶	清·雍正		故宮博物院
981	青花龍鳳紋燈籠瓶	清·雍正		故宮博物院
981	青花葫蘆飛蝠紋橄欖瓶	清·雍正		首都博物館
982	青花桃蝠紋橄欖瓶	清·雍正		故宮博物院
983	青花雲龍紋瓶	清·雍正		首都博物館
983	青花纏枝蓮紋蒜頭瓶	清·雍正		故宮博物院
984	青花纏枝蓮紋天球瓶	清·雍正		故宮博物院
985	青花三果紋瓶	清·雍正		故宮博物院
985	青花折枝蓮紋象耳折角方瓶	清·雍正		故宮博物院
986	青花纏枝蓮紋貫耳穿帶瓶	清·雍正		故宮博物院
987	青花花鳥紋雙耳扁瓶	清·雍正		故宮博物院
988	青花瓜紋棱瓶	清·雍正		北京藝術博物館
988	青花纏枝蓮紋雙螭耳盤口尊	清·雍正		故宮博物院
989	青花纏枝蓮紋鳩耳尊	清·雍正		故宮博物院

頁碼	名稱	時代	發現地	收藏地
1012	粉彩花蝶膽式瓶	清・雍正		故宮博物院
1012	粉彩花鳥紋瓜棱瓶	清・雍正		上海博物館
1013	綠地粉彩描金堆花六角瓶	清・雍正		上海博物館
1013	珊瑚紅地粉彩牡丹紋貫耳瓶	清・雍正		故宮博物院
1014	珊瑚紅地粉彩花鳥紋瓶	清・雍正		首都博物館
1015	粉彩玉蘭紋盤	清・雍正		故宮博物院
1016	粉彩過枝桃果紋盤	清・雍正		天津博物館
1016	粉彩仕女嬰戲紋盤	清・雍正		英國倫敦維多利亞和阿爾伯特國立博物院
1017	墨地粉彩纏枝蓮紋盤	清・雍正		天津博物館
1017	粉彩過枝花卉紋碗	清・雍正		故宮博物院
1018	粉彩花卉紋葵瓣碗	清・雍正		中國國家博物館
1018	粉彩纏枝牡丹紋鏤空蓋盒	清・雍正		故宮博物院
1019	粉彩人物圖筆筒	清・雍正		上海博物館
1020	琺琅彩松竹梅紋瓶	清・雍正		故宮博物院
1021	琺琅彩山水圖碗	清・雍正		故宮博物院
1021	琺琅彩墨竹圖碗	清・雍正		上海博物館
1022	琺琅彩雉雞牡丹紋碗	清・雍正		故宮博物院
1022	琺琅彩百花紋碗	清・雍正		故宮博物院
1023	琺琅彩黃地雲龍紋碗	清・雍正		故宮博物院
1023	黃地琺琅彩梅花詩句紋碗	清・雍正		故宮博物院
1024	墨彩山水圖墨床	清・雍正		北京藝術博物館
1024	黃地綠彩雲蝠紋碗	清・雍正		故宮博物院
1025	黃地綠彩海水白鶴紋碗	清・雍正		故宮博物院
1025	礬紅地白花蝴蝶紋圓盒	清・雍正		故宮博物院
1026	墨地綠彩花鳥紋瓶	清・雍正		北京藝術博物館
1026	白釉嬰耳長頸瓶	清・雍正		故宮博物院
1027	白釉雙魚瓶	清・雍正		故宮博物院
1027	青釉花瓣口尊	清・雍正		故宮博物院
1028	青釉瓜棱罐	清・雍正		故宮博物院
1028	青釉荸薺式三繫瓶	清・雍正		故宮博物院
1029	青釉雲龍紋缸	清・雍正		上海博物館
1030	粉青釉凸花如意耳蒜頭瓶	清・雍正		故宮博物院
1030	粉青釉茶壺	清・雍正		故宮博物院
1031	粉青釉暗纏枝蓮紋尊	清・雍正		故宮博物院

頁碼	名稱	時代	發現地	收藏地
1031	霽紅釉玉壺春瓶	清・雍正		首都博物館
1032	霽紅釉梅瓶	清・雍正		故宮博物院
1032	霽紅釉長頸盤口瓶	清・雍正		故宮博物院
1033	淡粉紅釉梅瓶	清・雍正		故宮博物院
1033	霽藍釉盤口尊	清・雍正		故宮博物院
1034	霽藍釉渣斗	清・雍正		故宮博物院
1034	松石綠釉暗花回紋折腰碗	清・雍正		故宮博物院
1035	天藍釉紡錘瓶	清・雍正		故宮博物院
1035	天藍釉環耳方瓶	清・雍正		故宮博物院
1036	孔雀藍釉撇口尊	清・雍正		故宮博物院
1036	青金藍釉蒜頭瓶	清・雍正		故宮博物院
1037	孔雀藍釉凸花尊	清・雍正		故宮博物院
1037	龜皮綠釉撇口瓶	清・雍正		故宮博物院
1038	綠釉凸花如意耳蒜頭瓶	清・雍正		故宮博物院
1038	松石綠釉貫耳瓶	清・雍正		天津博物館
1039	窑變釉弦紋盤口瓶	清・雍正		故宮博物院
1039	窑變釉雙螭耳瓶	清・雍正		故宮博物院
1040	窑變釉弦紋瓶	清・雍正		故宮博物院
1040	窑變釉杏圓雙耳扁瓶	清・雍正		故宮博物院
1041	窑變釉貫耳瓶	清・雍正		故宮博物院
1041	窑變釉如意耳尊	清・雍正		天津博物館
1042	窑變釉蟠螭魚簍尊	清・雍正		天津博物館
1042	茄皮紫釉膽式瓶	清・雍正		故宮博物院
1043	茶葉末釉壺	清・雍正		故宮博物院
1043	仿汝釉雙耳扁瓶	清・雍正		故宮博物院
1044	仿鈞釉雙螭耳尊	清・雍正		中國國家博物館
1045	仿鈞釉菱花形洗	清・雍正		故宮博物院
1045	仿官釉匜式尊	清・雍正		故宮博物院
1046	仿官釉琮式瓶	清・雍正		故宮博物院
1046	仿哥釉三羊瓶	清・雍正		故宮博物院
1047	仿哥釉貫耳扁方瓶	清・雍正		故宮博物院
1047	仿定窑花觚	清・雍正		南京博物院
1048	青花纏枝蓮紋觚式瓶	清・乾隆		中國國家博物館
1049	青花龍鳳紋盤口瓶	清・乾隆		中國國家博物館

頁碼	名稱	時代	發現地	收藏地
1050	青花花卉紋瓶	清·乾隆		上海博物館
1050	青花折枝花卉紋蒜頭瓶	清·乾隆		首都博物館
1051	青花纏枝蓮花紋瓶	清·乾隆		上海博物館
1052	青花折枝花果紋梅瓶	清·乾隆		南京博物院
1052	青花折枝花果紋六方瓶	清·乾隆		中國國家博物館
1053	黃地青花六龍捧壽紋瓶	清·乾隆		南京博物院
1053	青花纏枝蓮紋貫耳扁瓶	清·乾隆		中國國家博物館
1054	青花暗八仙穿帶瓶	清·乾隆		首都博物館
1055	青花纏枝花卉紋扁瓶	清·乾隆		首都博物館
1055	青花八吉祥紋扁壺	清·乾隆		中國國家博物館
1056	青花海水桃紋龍耳扁瓶	清·乾隆		上海博物館
1057	青花雲龍紋五孔扁瓶	清·乾隆		臺北故宮博物院
1058	青花纏枝蓮托八寶紋鋪耳尊	清·乾隆		中國國家博物館
1059	青花折枝花果紋執壺	清·乾隆		南京博物院
1060	青花八寶紋盉式壺	清·乾隆		天津博物館
1060	青花海水紋高足盤	清·乾隆		首都博物館
1061	淡黃地青花折枝花卉紋折沿碗	清·乾隆		南京博物院
1062	青花雲鶴紋爵盤	清·乾隆		江西省景德鎮陶瓷歷史博物館
1062	青花勾蓮紋燭臺	清·乾隆		英國倫敦維多利亞和阿爾伯特國立博物院
1063	豆青釉青花團龍紋雙耳罐	清·乾隆		天津博物館
1064	青花龍鳳紋雙聯罐	清·乾隆		上海博物館
1064	青花描金蝴蝶三犧尊	清·乾隆		故宮博物院
1065	青花西洋仕女圖盤	清·乾隆		江西省博物館
1066	青花經文蓋鉢	清·乾隆		北京藝術博物館
1066	青花纏枝蓮花紋花囊	清·乾隆		上海博物館
1067	青花胭脂紅彩雲龍紋瓶	清·乾隆		中國國家博物館
1068	青花海水紅彩雲龍紋盤	清·乾隆		南京博物院
1069	青花釉裏紅雲龍紋天球瓶	清·乾隆		首都博物館
1070	釉裏紅團龍紋葫蘆瓶	清·乾隆		北京藝術博物館
1070	釉裏紅折枝花果紋葫蘆瓶	清·乾隆		中國國家博物館
1071	釉裏紅雲龍紋玉壺春瓶	清·乾隆		中國國家博物館
1071	黃地釉裏紅花蝶紋玉壺春瓶	清·乾隆		故宮博物院
1072	釉裏紅芍藥紋賞瓶	清·乾隆		南京博物院
1073	鬥彩描金進寶圖雙螭耳瓶	清·乾隆		故宮博物院

頁碼	名稱	時代	發現地	收藏地
1074	鬥彩龍鳳穿花紋梅瓶	清・乾隆		故宮博物院
1074	鬥彩花卉紋甘露瓶	清・乾隆		南京博物院
1075	鬥彩勾蓮紋螭耳扁瓶	清・乾隆		故宮博物院
1076	鬥彩農耕圖扁瓶	清・乾隆		天津博物館
1077	鬥彩八寶團龍紋蓋罐	清・乾隆		故宮博物院
1077	鬥彩綠龍紋蓋罐	清・乾隆		南京博物院
1078	鬥彩夔鳳花卉紋盤	清・乾隆		南京博物院
1078	鬥彩暗八仙紋束腰盤	清・乾隆		南京博物院
1079	鬥彩八寶紋盤	清・乾隆		首都博物館
1080	鬥彩鴛鴦戲蓮紋臥足碗	清・乾隆		故宮博物院
1080	鬥彩螭龍穿花紋僧帽壺	清・乾隆		故宮博物院
1081	藍地鬥彩蓮池圖鏤空繡墩	清・乾隆		故宮博物院
1082	粉彩錦上添花海棠式瓶	清・乾隆		臺北故宮博物院
1082	粉彩詩意瓶	清・乾隆		臺北故宮博物院
1083	粉彩嬰戲圖環耳瓶	清・乾隆		上海博物館
1084	粉彩鬥彩花卉詩句雙耳瓶	清・乾隆		故宮博物院
1084	粉彩花蝶紋腰圓瓶	清・乾隆		臺北故宮博物院
1085	粉彩夔鳳穿花紋獸耳銜環瓶	清・乾隆		故宮博物院
1086	粉彩花果紋帶蓋梅瓶	清・乾隆		故宮博物院
1086	粉彩花卉紋觀音瓶	清・乾隆		臺北故宮博物院
1087	粉彩花卉紋膽瓶	清・乾隆		臺北故宮博物院
1087	粉彩仙鶴紋膽瓶	清・乾隆		臺北故宮博物院
1088	粉彩嬰戲紋瓶	清・乾隆		故宮博物院
1088	粉彩纏枝花紋大瓶	清・乾隆		故宮博物院
1089	粉彩鏤空花卉葫蘆形轉心瓶	清・乾隆		故宮博物院
1090	粉彩開光鏤空花卉紋象耳轉心瓶	清・乾隆		故宮博物院
1090	粉彩鏤空花果紋六方轉心瓶	清・乾隆		首都博物館
1091	粉彩開光鏤空轉心瓶	清・乾隆		故宮博物院
1092	粉彩花卉紋轉心瓶	清・乾隆		臺北故宮博物院
1092	粉彩開光山水紋鏤空蓋瓶	清・乾隆		故宮博物院
1093	粉彩黃地番蓮紋瓶	清・乾隆		臺北故宮博物院
1093	粉彩開光花卉紋瓶	清・乾隆		臺北故宮博物院
1094	粉彩八仙圖八角瓶	清・乾隆		上海博物館
1095	粉彩描金開光花鳥圖八方瓶	清・乾隆		故宮博物院

頁碼	名稱	時代	發現地	收藏地
1095	粉彩開光山水詩句瓶	清・乾隆		故宮博物院
1096	粉彩山水紋方瓶	清・乾隆		臺北故宮博物院
1097	粉彩雲鳳象耳瓶	清・乾隆		故宮博物院
1097	粉彩折枝花卉紋葫蘆瓶	清・乾隆		故宮博物院
1098	粉彩百花圖葫蘆瓶	清・乾隆		中國國家博物館
1099	粉彩如意耳葫蘆瓶	清・乾隆		故宮博物院
1099	粉彩描金凸雕靈桃瓶	清・乾隆		故宮博物院
1100	粉彩描金堆貼蟠螭紋瓶	清・乾隆		故宮博物院
1101	粉彩八寶紋賁巴瓶	清・乾隆		西藏博物館
1102	黃地粉彩番蓮八吉祥紋藏草瓶	清・乾隆		中國國家博物館
1102	粉彩山水人物紋三孔扁瓶	清・乾隆		故宮博物院
1103	豆青地開光粉彩山水紋海棠式瓶	清・乾隆		中國國家博物館
1104	粉彩錦上添花盤口雙圓瓶	清・乾隆		臺北故宮博物院
1105	粉彩菊花紋燈籠尊	清・乾隆		中國國家博物館
1105	粉彩靈芝花卉紋尊	清・乾隆		臺北故宮博物院
1106	粉彩描金海晏河清圖尊	清・乾隆		中國國家博物館
1107	粉彩花卉紋包袱尊	清・乾隆		中國國家博物館
1107	粉彩山水詩意尊	清・乾隆		臺北故宮博物院
1108	粉彩百鹿紋雙耳尊	清・乾隆		上海博物館
1109	粉彩開光山水人物紋茶壺	清・乾隆		故宮博物院
1109	粉彩開光烹茶圖茶壺	清・乾隆		故宮博物院
1110	粉彩八寶勾蓮紋多穆壺	清・乾隆		故宮博物院
1110	粉彩葫蘆花干支筆筒	清・乾隆		故宮博物院
1111	粉彩雲龍紋碗	清・乾隆		臺北故宮博物院
1111	粉彩百花紋碗	清・乾隆		南京博物院
1112	粉彩花卉紋海棠式杯盤	清・乾隆		臺北故宮博物院
1112	粉彩古銅紋帶托爵	清・乾隆		故宮博物院
1113	粉彩萬福寶相紋葵花式盆奩	清・乾隆		南京博物院
1113	黃地粉彩三多連綿紋海棠式盆奩	清・乾隆		南京博物院
1114	粉彩百花紋花觚	清・乾隆		遼寧省博物館
1115	粉彩蕉葉紋花觚	清・乾隆		臺北故宮博物院
1115	粉彩仿古銅彩出戟花觚	清・乾隆		故宮博物院
1116	琺瑯彩花卉紋橄欖瓶	清・乾隆		臺北故宮博物院
1116	琺瑯彩花卉瓶	清・乾隆		故宮博物院

頁碼	名稱	時代	發現地	收藏地
1117	珐琅彩竹菊鵪鶉圖瓶	清・乾隆		上海博物館
1118	珐琅彩雉鷄芙蓉紋玉壺春瓶	清・乾隆		天津博物館
1118	珐琅彩胭脂紫軋花地寶相花瓶	清・乾隆		天津博物館
1119	珐琅彩描金花卉紋瓶	清・乾隆		故宮博物院
1119	珐琅彩番蓮紋瓶	清・乾隆		臺北故宮博物院
1120	珐琅彩錦地描金花卉紋蒜頭瓶	清・乾隆		故宮博物院
1121	珐琅彩開光花卉紋蒜頭瓶	清・乾隆		臺北故宮博物院
1121	珐琅彩龍鳳紋雙聯瓶	清・乾隆		上海博物館
1122	珐琅彩嬰戲紋雙聯瓶	清・乾隆		故宮博物院
1123	珐琅彩開光山水圖瓶	清・乾隆		故宮博物院
1124	珐琅彩西洋人物圖雙耳葫蘆瓶	清・乾隆		故宮博物院
1124	珐琅彩人物紋鼻烟壺	清・乾隆		首都博物館
1125	珐琅彩人物紋盤	清・乾隆		臺北故宮博物院
1125	珐琅彩花鳥紋盤	清・乾隆		臺北故宮博物院
1126	珐琅彩胭脂紅刻花茶壺	清・乾隆		故宮博物院
1126	胭脂紅地珐琅彩蓮花紋碗	清・乾隆		南京博物院
1127	藍地珐琅彩蓮塘圖蓋罐	清・乾隆		中國國家博物館
1128	雕地海水紅彩龍紋蓋盅	清・乾隆		南京博物院
1128	紅彩龍紋高足蓋碗	清・乾隆		天津博物館
1129	紅彩纏枝番蓮紋瓶	清・乾隆		上海博物館
1129	胭脂紅彩纏枝螭龍紋瓶	清・乾隆		上海博物館
1130	各色釉彩瓶	清・乾隆		故宮博物院
1131	藍釉描金銀桃果紋瓶	清・乾隆		上海博物館
1132	灑藍釉描金勾蓮紋斜方瓶	清・乾隆		故宮博物院
1132	霽藍釉描金方蓋罐	清・乾隆		故宮博物院
1133	霽青釉描金花卉紋七孔花插	清・乾隆		臺北故宮博物院
1134	霽藍釉金彩雙鳳寶磬紋腰圓式盆奩	清・乾隆		南京博物院
1134	灑金描金花卉紋三繫壺	清・乾隆		天津博物館
1135	廠官釉描金花卉紋葫蘆形燭臺	清・乾隆		故宮博物院
1135	白釉凸雕蓮瓣口瓶	清・乾隆		故宮博物院
1136	白釉花果紋三聯瓶	清・乾隆		臺北故宮博物院
1136	白釉印花夔龍紋帶蓋扁尊	清・乾隆		南京博物院
1137	白釉印花獸面紋爵	清・乾隆		南京博物院
1137	青釉刻花瓣紋雙耳瓶	清・乾隆		江西省景德鎮陶瓷歷史博物館

頁碼	名稱	時代	發現地	收藏地
1138	青釉鏤空纏枝牡丹紋套瓶	清・乾隆		故宮博物院
1139	粉青釉鷄形熏	清・乾隆		故宮博物院
1140	粉青釉暗花夔紋交泰瓶	清・乾隆		故宮博物院
1140	粉青釉靈芝式筆洗	清・乾隆		中國國家博物館
1141	冬青釉描金天鷄酒注	清・乾隆		故宮博物院
1142	孔雀藍釉象耳瓶	清・乾隆		故宮博物院
1142	胭脂紅釉蒜頭瓶	清・乾隆		故宮博物院
1143	松石綠釉纏枝蓮紋梅瓶	清・乾隆		中國國家博物館
1144	松石綠釉鏤空冠架	清・乾隆		故宮博物院
1145	松石綠釉夔龍紋洗	清・乾隆		北京藝術博物館
1145	金彩釉纏枝蓮紋蓋盒	清・乾隆		西藏博物館
1146	茶葉末釉大吉瓶	清・乾隆		江西省景德鎮陶瓷歷史博物館
1146	窯變釉雲耳瓶	清・乾隆		首都博物館
1147	窯變釉花卉紋膽式瓶	清・乾隆		故宮博物院
1147	仿古銅彩蟠螭紋花口瓶	清・乾隆		江西省景德鎮陶瓷歷史博物館
1148	仿古銅彩犧耳尊	清・乾隆		故宮博物院
1148	仿古銅彩雕螭龍紋三獸足洗	清・乾隆		中國國家博物館
1149	仿雕漆釉雲龍紋碗	清・乾隆		南京博物院
1149	仿石釉雙聯筆筒	清・乾隆		北京藝術博物館
1150	仿竹刻夔紋筆筒	清・乾隆		上海博物館
1150	木紋釉多穆壺	清・乾隆		故宮博物院
1151	爐鈞釉方尊	清・乾隆		北京市頤和園管理處
1152	仿官釉水仙盆	清・乾隆		故宮博物院
1152	仿汝釉葵花式洗	清・乾隆		南京博物院
1153	仿汝釉桃形洗	清・乾隆		故宮博物院
1153	仿哥釉葉式洗	清・乾隆		故宮博物院
1154	青花龍鳳呈祥紋瓶	清・嘉慶		南京博物院
1154	青花龍鳳紋雙螭耳瓶	清・嘉慶		中國國家博物館
1155	青花鹿鶴圖瓶	清・嘉慶		上海博物館
1155	青花纏枝蓮托八寶紋執壺	清・嘉慶		首都博物館
1156	青花御製詩托盤	清・嘉慶		首都博物館
1156	青花紅彩水丞	清・嘉慶		上海博物館
1157	青花蓮花托梵文酥油燈	清・嘉慶		南京博物院
1157	青花藍地白花紅彩龍紋盤	清・嘉慶		南京博物院

頁碼	名稱	時代	發現地	收藏地
1158	鬥彩花鳥紋雙耳瓶	清・嘉慶		故宮博物院
1158	鬥彩牡丹蝙蝠紋蓋罐	清・嘉慶		故宮博物院
1159	粉彩凸雕嬰戲紋螭耳瓶	清・嘉慶		故宮博物院
1160	粉彩龍鳳穿牡丹紋雙耳瓶	清・嘉慶		故宮博物院
1160	粉彩百花圖瓶	清・嘉慶		上海博物館
1161	粉彩粉地勾蓮紋雕龍瓶	清・嘉慶		故宮博物院
1162	粉彩鳳穿花紋雙聯瓶	清・嘉慶		中國國家博物館
1162	粉彩黃地雲龍紋帽筒	清・嘉慶		故宮博物院
1163	紫地粉彩番蓮紋鏤空盤	清・嘉慶		中國國家博物館
1164	粉彩金地百花紋大碗	清・嘉慶		故宮博物院
1165	粉彩開光詩句紋茶壺	清・嘉慶		中國國家博物館
1165	油紅地五彩描金嬰戲圖碗	清・嘉慶		故宮博物院
1166	粉彩黃地蓮托八寶紋爐	清・嘉慶		南京博物院
1167	胭脂紅彩龍鳳穿牡丹紋罐	清・嘉慶		天津博物館
1168	湖藍釉白花三管瓶	清・嘉慶		故宮博物院
1168	紫金釉描金環耳瓶	清・嘉慶		首都博物館
1169	仿雕漆描金雙龍戲珠紋冠架	清・嘉慶		中國國家博物館
1170	爐鈞釉燈籠尊	清・嘉慶		故宮博物院
1170	青花暗八仙皮球錦紋包袱式瓶	清・道光		南京博物院
1171	青花八吉祥紋螭耳瓶	清・道光		上海博物館
1172	青花蓮托八吉祥紋壺	清・道光		首都博物館
1172	青花梵文吉語碗	清・道光		上海博物館
1173	青花纏枝番蓮紋花盆	清・道光		南京博物院
1173	青花雲龍紋缸	清・道光		江西省文物商店
1174	青花御窯廠圖桌面	清・道光		首都博物館
1175	青花釉裏紅花蝶紋方瓶	清・道光		江西省博物館
1175	粉彩花卉紋螭耳瓶	清・道光		上海博物館
1176	粉彩花卉紋螭耳瓶	清・道光		故宮博物院
1177	粉彩蓮塘鷺鷥圖瓶	清・道光		中國國家博物館
1177	粉彩描金蝴蝶紋罐	清・道光		故宮博物院
1178	粉彩黃地勾蓮人物紋瓶	清・道光		故宮博物院
1179	粉彩耕織圖鹿頭尊	清・道光		中國國家博物館
1180	粉彩蓮花紋蓋碗	清・道光		上海博物館
1180	粉彩米色地竹菊紋蟋蟀罐	清・道光		故宮博物院

頁碼	名稱	時代	發現地	收藏地
1181	珐琅彩梅竹紋瓶	清·道光		天津博物館
1181	天藍釉描金蓋罐	清·道光		故宮博物院
1182	天藍釉描金三孔葫蘆瓶	清·道光		中國國家博物館
1183	綠彩勾蓮紋盆托	清·道光		南京博物院
1183	松石綠釉竹節花盆	清·道光		故宮博物院
1184	黃釉仿竹雕筆筒	清·道光		故宮博物院
1184	青花三友圖瓶	清·咸豐		上海博物館
1185	青花開光粉彩花蝶草蟲紋茶壺	清·咸豐		故宮博物院
1185	鬥彩描金纏枝花紋碗	清·咸豐		故宮博物院
1186	粉彩青花山水紋雙耳瓶	清·咸豐		故宮博物院
1186	藍釉描金花卉紋三管瓶	清·咸豐		上海博物館
1187	青花纏枝蓮紋瓶	清·同治		上海博物館
1187	粉彩嬰戲紋雙獸耳方尊	清·同治		天津博物館
1188	黃地粉彩喜鵲登梅紋盤	清·同治		南京博物院
1189	礬紅彩雙龍紋杯	清·同治		上海博物館
1189	紅釉描金喜字盤	清·同治		南京博物院
1190	湖綠地粉彩紫藤花鳥紋高足碗	清·同治		南京博物院
1190	紅地粉彩開光龍鳳紋圓盒	清·同治		故宮博物院
1191	黃地粉彩花鳥紋花盆	清·同治		故宮博物院
1192	綠地粉彩秋葵紋荷花缸	清·同治		南京博物院
1193	青花夔鳳紋簋	清·光緒		首都博物館
1193	青花荷蓮紋花盆	清·光緒		南京博物院
1194	粉彩五倫圖象耳瓶	清·光緒		故宮博物院
1194	粉彩雲蝠紋賞瓶	清·光緒		南京博物院
1195	粉彩花卉紋盤螭長頸瓶	清·光緒		江西省文物商店
1196	粉彩描金雲龍紋賞瓶	清·光緒		故宮博物院
1196	粉彩開光雲龍紋貫耳扁方瓶	清·光緒		故宮博物院
1197	粉彩花卉紋瓶	清·光緒		故宮博物院
1197	粉彩桃蝠紋筆筒	清·光緒		故宮博物院
1198	粉彩蝴蝶梅花紋花盆	清·光緒		南京博物院
1198	粉彩綬帶牡丹紋花盆	清·光緒		南京博物院
1199	粉彩李白醉酒圖花盆	清·光緒		南京博物院
1199	粉彩名家詩畫方花盆	清·光緒		南京博物院

青花山水紋盤

清・順治

高4.3、口徑14厘米。

盤外壁繪兩枝枝條，内心繪山水圖。底書青花雙圈
"大清順治年製"楷書款。

現藏南京博物院。

青花人物圖盤

清·順治

高7、口徑33.5厘米。

盤内繪人物故事畫，中間有"戊戌冬月贈 子埔賢契魯溪王鍈製"楷書款，戊戌爲清順治十五年（公元1658年）。盤底書"玉堂佳器"款。

現藏故宮博物院。

青花天女散花紋碗

清·順治
高7.2、口徑12.9厘米。
內壁飾青花嬰戲圖，外壁飾兩組天女散花圖。
底書青花雙圈"大清順治年"楷書款。
現藏江蘇省蘇州博物館。

青花歸帆圖筆筒

清·順治
高13.1、口徑16.8厘米。
器身繪歸帆圖并有題詩。底書
"清玩"款。
現藏上海博物館。

清（公元一六四四年至公元一九一一年）

青花花鳥紋蓋罐

清·順治

高47、口徑20.6厘米。

蓋面繪牡丹、竹、菊圖案，頸部繪變形蓮紋，
罐身一面繪雉雞牡丹，另一面繪竹雀紋。
現藏故宮博物院。

青花雲龍紋瓶

清·順治

高54、口徑15.8厘米。

瓶外口沿飾下垂蕉葉紋，頸肩部飾如意雲頭紋，腹部一側飾四爪龍紋，另一側書紀年題句。

現藏上海博物館。

青花山水圖瓶

清·順治

高44.4、口徑12厘米。

頸部繪折枝花草紋，瓶身繪山水圖。有題畫詞一首，署"癸巳秋日寫爲西疇書院"款，癸巳爲順治十年（公元1653年）。

現藏上海博物館。

五彩洞石花卉紋筒式瓶

清・順治

高20.7、口徑5.1厘米。

瓶身飾洞石和折枝花卉紋。肩部紅彩書"百花齋"豎行楷書款。

現藏故宮博物院。

五彩牡丹紋尊

清・順治

高58、口徑19.5厘米。

通體繪纏枝牡丹紋。

現藏故宮博物院。

五彩花鳥紋瓶

清·順治

高35.3、口徑12.5厘米。

瓶頸部飾洞石花卉紋，腹部飾一雉雞立于山石上，周圍襯以牡丹和玉蘭等。

現藏故宮博物院。

五彩錦地開光花卉紋瓶

清·順治

高36.1、口徑11.3厘米。

頸部繪變形蕉葉紋，腹部錦地開光內繪洞石四季花卉紋，肩、足部繪如意雲頭紋。

現藏故宮博物院。

五彩百鳥朝鳳圖蓋罐

清·順治

北京朝陽區白家莊出土。

高49.5、口徑20.5厘米。

蓋面飾山石牡丹紋，腹部繪百鳥朝鳳圖。

整器飾錢紋錦地。

現藏首都博物館。

黃釉暗龍紋盤

清·順治

高4.4、口徑24.8厘米。

盤心暗刻龍紋，近足部飾蕉葉紋一周。底書青花雙圈"大清順治年製"楷書款。現藏故宮博物院。

茄皮紫釉暗雲龍紋盤

清·順治

高4.3、口徑24.6厘米。

盤心暗刻雲龍紋，盤內外壁均飾二龍戲珠紋，外壁下部繪變形蓮瓣紋。底書青花"大清順治年製"楷書款。現藏故宮博物院。

青花山水圖雙耳瓶

清·康熙

高43.6、口徑13.6厘米。

肩兩側附獅首耳。瓶身一側繪雪景山水圖，另一側書草書詩句。詩句後有"庚辰仲冬日"款，庚辰爲康熙三十九年（公元1700年）。

現藏上海博物館。

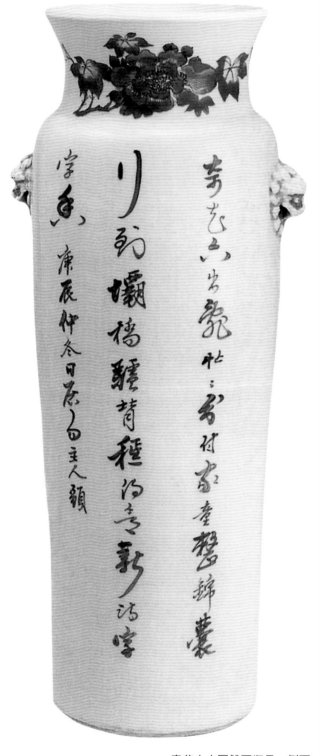

青花山水圖雙耳瓶另一側面

青花雲龍紋瓶

清・康熙

高24.5、口徑10.4厘米。

瓶身兩側各繪海水雲龍，底書青花 "大清康熙年製" 楷書款。

現藏上海博物館。

青花松鼠葡萄紋棒槌瓶

清・康熙

高48.3、口徑13.4厘米。

頸部飾凸起弦紋，繪點珠紋、回紋、如意雲頭紋，腹部繪松鼠葡萄和洞石花卉紋。

現藏故宮博物院。

青花西厢記人物棒槌瓶

清·康熙

高77.5厘米。

瓶腹飾《西厢記》人物故事圖，模仿當時木刻版畫風格，如同連環畫一樣分格自上而下描繪。

現藏英國倫敦維多利亞和阿爾伯特國立博物院。

青花夜宴桃李園圖棒槌瓶

清·康熙

高44、口徑12.7厘米。

腹部通景飾夜宴桃李園圖。底書青花“大清康熙年製”楷書款。

現藏中國國家博物館。

青花萬壽瓶

清·康熙

高77、口徑38厘米。

此瓶是康熙五十二年（公元1713年）爲聖祖玄燁六十
大壽而作。通體書一萬個不同字形的篆書"壽"字。
現藏故宮博物院。

青花山水人物圖方瓶

清·康熙

高54、口徑16厘米。

頸部繪竹枝紋，瓶身四面均繪山水圖。

現藏上海博物館。

青花花鳥紋瓶

清·康熙

高41、口徑3.9厘米。

口沿下飾如意雲頭紋，頸部飾珠紋和螺旋紋，腹部繪喜鵲登梅圖。底有"獖"字款。

現藏南京博物院。

青花牡丹紋長頸瓶

清·康熙

高45.2厘米。

瓶腹、頸部均飾牡丹花卉紋。瓶底部繪花形押款。

現藏土耳其伊斯坦布爾托布卡博物館。

青花蓮紋長頸瓶

清·康熙

高65.2、口徑10.6厘米。

周身飾纏枝蓮紋，肩部匝三角紋裝飾帶。

現藏南京博物院。

清
（
公
元
一
六
四
四
年
至
公
元
一
九
一
一
年
）

青花纏枝番蓮紋雙耳鹿頭尊

清·康熙

高46厘米。

頸部對稱塑雙耳，口沿下部和足部繪捲草紋，腹部繪纏
枝番蓮紋。底書青花"大清康熙年製"楷書款。
現藏北京市頤和園管理處。

青花農家豐收圖尊（右圖）

清·康熙

高47.7、口徑17.2厘米。

通體白釉飾青花，主題紋飾爲農家豐收圖。

現藏天津博物館。

青花夔鳳紋搖鈴尊

清·康熙

高18.7、口徑4.2厘米。

器身飾兩組夔鳳紋，高冠尖喙，喙銜一環，雙翅展開。

底書青花"大清康熙年製"楷書款。

現藏中國國家博物館。

青花壽山福海紋花盆

清·康熙

高36、口徑60厘米。

花盆內壁施半釉，外壁繪通景式紋樣，在山石波濤、
松柏祥雲間，有仙鶴、蝙蝠翻飛。

現藏南京博物院。

青花携琴訪友圖花盆

清·康熙

高18、長33、寬22厘米。

器腹四面繪山水圖。口沿下橫書青花"大清康熙年製"楷書款。

現藏南京博物院。

青花麻姑獻壽紋菱花口花盆

清·康熙

高31.5厘米。

花盆六棱菱花口式。六面紋飾均繪麻姑獻壽故事，麻姑與侍女或捧靈芝，或持如意，或擎果盤，乘騎麒麟等瑞獸。口沿橫書青花"大清康熙年製"楷書款。

現藏南京博物院。

青花白牡丹蟠螭紋觚

清・康熙

高49.2、口徑23.3厘米。

外壁以青花爲地，繪白色花紋，白花内再施以綫描，飾六條蟠龍穿行于牡丹花叢中。

現藏故宮博物院。

青花夔龍紋蓋罐

清・康熙

高17、口徑3.7厘米。

罐蓋直壁平頂，帶寶珠鈕。蓋上飾蕉葉紋和朵花紋，腹上部飾兩條變形夔龍紋，近底處飾夔鳳紋八組。底書青花雙圈"大清康熙年製"楷書款。

現藏故宮博物院。

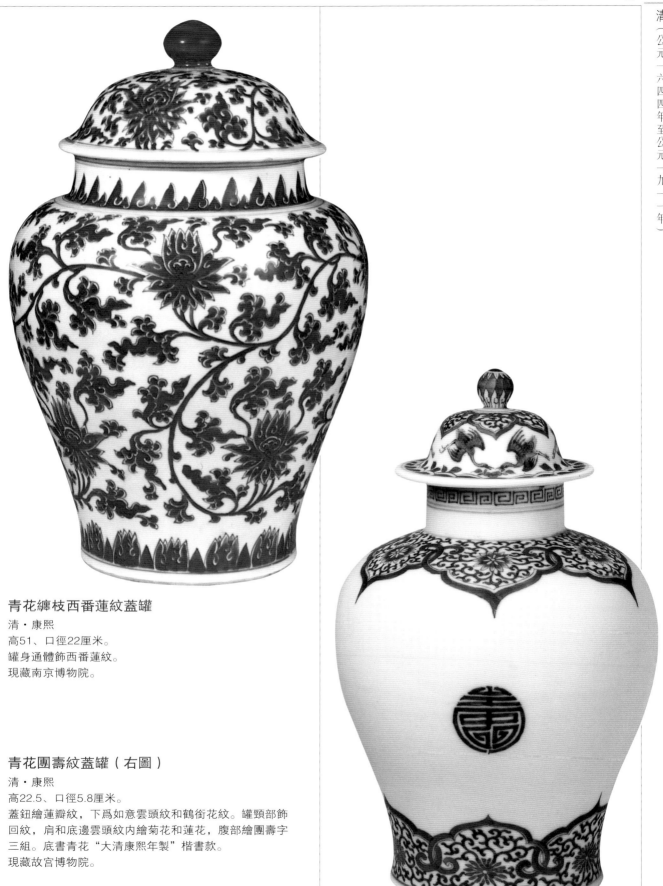

青花纏枝西番蓮紋蓋罐

清·康熙

高51、口徑22厘米。

罐身通體飾西番蓮紋。

現藏南京博物院。

青花團壽紋蓋罐（右圖）

清·康熙

高22.5、口徑5.8厘米。

蓋鈕繪蓮瓣紋，下爲如意雲頭紋和鶴銜花紋。罐頸部飾
回紋，肩和底邊雲頭紋內繪菊花和蓮花，腹部繪團壽字
三組。底書青花"大清康熙年製"楷書款。

現藏故宮博物院。

青花雲肩花卉紋蓋罐

清·康熙

高61、口徑21.5厘米。

頸部飾纏枝菊花紋，蓋面及肩、腹部均繪藍地白花垂雲紋，內繪花卉。

現藏首都博物館。

青花麒麟紋盤

清·康熙

口徑35.8厘米。

盤內繪麒麟紋，襯以山石、芭蕉和祥雲。底書
"玉堂佳器"款。

現藏首都博物館。

青花雙龍紋碗

清·康熙

高7.4、口徑5.7厘米。

外壁繪兩組龍紋。底書青花"大清康熙年製"楷書款。

現藏故宮博物院。

清（公元一六四四年至公元一九一一年）

青花牡丹紋碗

清·康熙

高7.8、口徑16厘米。

碗內外滿飾牡丹花紋，構圖繁縟。底書青花雙圈
"大清康熙年製"楷書款。

現藏南京博物院。

青花牡丹紋碗內底

青花花卉紋大碗

清·康熙

高12、口徑23厘米。

口沿繪海水、錦紋，碗心繪山石、月季花紋，外壁繪花鳥圖。足內書青花雙圈"大清康熙年製"楷書款。

現藏故宮博物院。

青花春耕圖紋碗

清·康熙

高10.2、口徑20.3厘米。

碗心繪牧牛圖，口內沿繪龜背錦紋，外壁繪耙耨圖。足內書青花雙圈"大清康熙年製"楷書款。

現藏故宮博物院。

清（公元一六四四年至公元一九一一年）

青花竹林七賢圖碗

清·康熙
高9.7、口徑19.8厘米。
內口沿菱形錦紋開光內繪花果紋，
外壁繪竹林七賢圖。
現藏江西省景德鎮陶瓷歷史博物館。

青花人物圖净水碗

清·康熙
高15、口徑18.5厘米。
腹外壁繪人物故事圖。
現藏北京藝術博物館。

青花竹紋竹節壺

清·康熙

高12.5、口徑9.8厘米。

壺體、流、柄和蓋鈕均呈竹節形。通體繪竹葉紋。

底書青花"大清康熙年製"楷書款。

現藏故宮博物院。

青花松竹梅紋執壺

清·康熙

高8.8、口徑7厘米。

以松木枝幹爲柄，竹節爲流，梅花枝幹爲蓋鈕。蓋面繪梅花，腹部繪與柄和流相連的松樹枝葉和竹葉。底書青花"大清康熙年製"楷書款。

現藏故宮博物院。

青花纏枝牡丹紋印盒

清·康熙

高7.3、口徑15.5厘米。

蓋面繪蝴蝶穿行于牡丹之間，蓋沿及盒外壁繪纏枝牡丹花紋。底書青花"大清康熙年製"楷書款。

現藏故宮博物院。

青花銘文筆筒

清·康熙

高16、口徑19.3厘米。

外壁用青花料正楷書《聖主得賢臣頌》全文，以釉裏紅作“熙朝傳古”方印。底書青花“大清康熙年製”楷書款。

現藏南京博物院。

青花滕王閣圖缸

清·康熙

高39、口徑37厘米。

缸身繪滕王閣圖。

現藏天津博物館。

清（公元一六四四年至公元一九一一年）

黃地青花雲龍紋碗

清·康熙

高5.9、口徑13.1厘米。

碗外壁繪二條趕珠龍紋，龍紋間飾靈芝托福字，內壁底心繪團龍紋。底書青花"大清康熙年製"楷書款。

現藏南京博物院。

青花綠彩雲龍紋盤

清·康熙

高3.3、口徑16.9厘米。

盤外壁繪四條行龍，其間飾壬字雲、三角雲和飄帶雲。口沿飾青花工字紋和如意雲紋。盤內心青花雙圈內飾雲龍紋。底書青花雙圈"大清康熙年製"楷書款。

現藏南京博物院。

青花綠彩雲龍紋盤

清·康熙

高6、口徑31.9厘米。

盤心繪一條騰龍，內、外壁均繪兩條行龍。底書青花雙圈"大清康熙年製"楷書款。

現藏江西省景德鎮陶瓷歷史博物館。

青花釉裏紅樓閣圖盤

清・康熙

高1.5、口徑11.2厘米。

盤心繪樹木樓閣。底書青花"康熙辛亥中和堂製"楷書款，康熙辛亥年爲康熙十年（公元1671年）。

現藏上海博物館。

青花釉裏紅山水紋菱口盤

清・康熙

高7.5、口徑36厘米。

盤心繪山水圖，内壁繪纏枝牡丹紋，外壁繪竹石圖。底書青花"大清康熙年製"楷書款。

現藏土耳其伊斯坦布爾托布卡博物館。

青花釉裏紅鴛鴦蓮池紋三足洗

清·康熙

高7、口徑29厘米。

平底，下有如意形三足。器內繪一對鴛鴦嬉水于蓮花間。

現藏上海博物館。

清（公元一六四四年至公元一九一一年）

醬釉地青花釉裏紅龍紋葫蘆瓶

清·康熙

高61.6厘米。

上腹繪龍紋，下腹繪龍穿牡丹。

現藏英國倫敦維多利亞和阿爾伯特國立博物院。

釉裏三彩海水雙龍紋瓶

清·康熙

高41.6、口徑10.9厘米。

瓶身繪騰于波浪之上的雙龍。

現藏上海博物館。

釉裏紅折枝花卉紋水丞

清·康熙

高7.6、口徑4.1厘米。

口沿飾勾蓮紋，腹部繪纏枝四季花卉紋，近足底部繪蕉葉紋。底書青花"大清康熙年製"楷書款。

現藏故宫博物院。

釉裏紅雲龍紋碗

清·康熙

高8.6、口徑14.8厘米。

外壁繪雙龍戲珠，近足部繪蓮瓣紋。足內書青花雙圈"大清康熙年製"楷書款。

現藏故宫博物院。

釉裏紅夔鳳紋瓶

清·康熙

高17.9、口徑3.9厘米。

瓶肩部飾兩隻夔鳳，眼睛用青花點出。底書青花"大清康熙年製"楷書款。

現藏上海博物館。

釉裏紅銅鏡紋長頸瓶

清·康熙

高23、口徑3.2厘米。

腹部飾四方古銅鏡紋，底外周有兩圈青花綫，綫上繪紅色江牙紋。底書"大清康熙年製"楷書款。

現藏天津博物館。

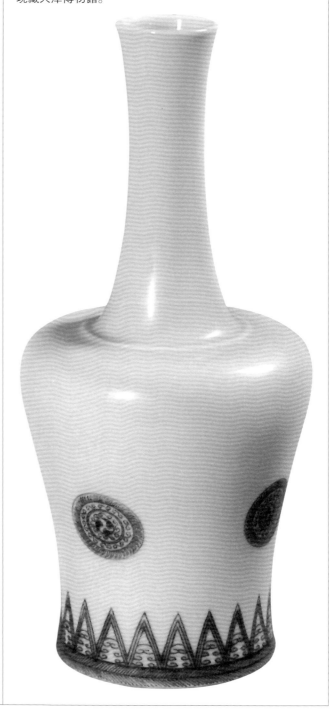

釉裏紅纏枝牡丹紋瓶

清·康熙

高33.5厘米。

頸部繪蕉葉紋、回紋、忍冬紋及變形雲頭紋，腹部繪纏
枝牡丹，近足部繪變形蓮瓣紋，足邊繪忍冬紋。

現藏故宮博物院。

釉裏紅海獸洗口瓶

清·康熙

高26.6、口徑3.6厘米。

通體繪雲雷紋、蓮瓣紋和波濤瑞獸紋，共繪十四隻瑞獸
和四隻夔龍。

現藏南京博物院。

鬥彩龍鳳紋蓋罐

清·康熙

高11.3、口徑4.6厘米。
蓋面繪團菊紋，周邊繪朵花。
肩、脛部繪蓮瓣紋，腹
部繪雲龍、雲鳳戲
珠圖案。底書青
花雙圈"大清
康熙年製"
楷書款。
現藏故宮
博物院。

鬥彩龍鳳紋蓋罐鳳紋

鬥彩魚藻紋罐（右圖）

清・康熙

高22.1、口徑6.4厘米。

蓋面及腹部繪魚藻紋。底書青花雙圈 "大清康熙年製" 楷書款。

現藏上海博物館。

鬥彩竹紋竹節式蓋罐

清・康熙

高16.7厘米。

罐身以凸弦紋分成三段，蓋頂繪團菊紋，罐身繪竹葉紋。底書青花雙圈 "大清康熙年製" 楷書款。

現藏故宮博物院。

鬥彩瓔珞紋賁巴壺

清·康熙

高23.2厘米。

口、流均有蓋，下承缽形托，圈足。

腹部繪獸面瓔珞紋。

現藏故宮博物院。

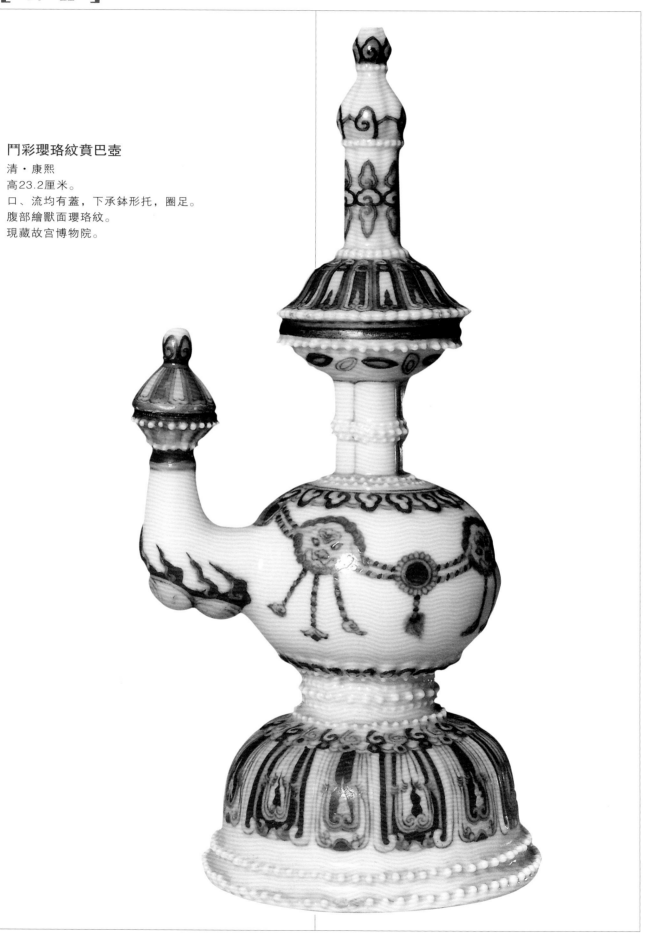

鬥彩雉鷄牡丹紋碗

清·康熙

高7.9、口徑15.4厘米。

外壁繪雉鷄牡丹紋。底書青花"大清康熙年製"楷書款。

現藏故宮博物院。

鬥彩萬字桃實紋碗

清·康熙

高7.8、口徑14.3厘米。

碗心繪蓮花壽桃圖，外口沿爲"卍"字紋一周，腹部
繪蓮花壽桃紋四組。足内青花雙圈"大清康熙年製"
楷書款。

現藏故宮博物院。

鬥彩雲龍紋盤

清·康熙

高4.3、口徑25厘米。

盤心繪一條立龍，內、外壁均繪
兩條行龍。足內書青花雙圈"大
清康熙年製"楷書款。

現藏故宮博物院。

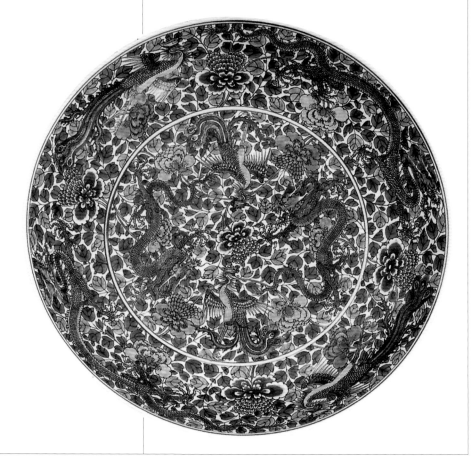

鬥彩花卉龍鳳紋盤

清·康熙

高7.1、口徑36.9厘米。

盤內外紋樣均爲花卉龍鳳紋。
底書青花雙圈"大清康熙
年製"楷書款。

現藏上海博物馆。

鬥彩龍鳳紋盤

清·康熙

高4.8、口徑21.1厘米。

盤內心繪正面龍紋，背景雲紋作光芒四射狀。外壁繪一對龍鳳，以雲朵相襯。底書青花雙圈"大清康熙年製"楷書款。

現藏南京博物院。

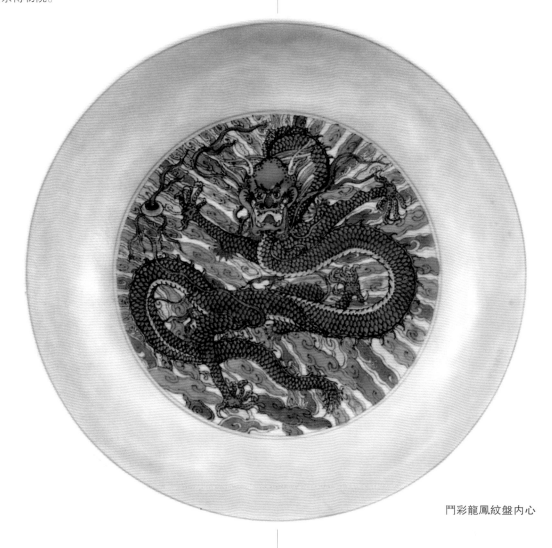

鬥彩龍鳳紋盤內心

鬥彩龍鳳紋盤

清·康熙

鬥彩蓮池魚藻紋盤

清·康熙

高4.2、盤徑20.2厘米。

盤內外均繪魚藻紋。底書"在川知樂"楷書款。

現藏江西省景德鎮陶瓷歷史博物館。

鬥彩雲龍紋缸

清・康熙

高43.5厘米。

缸呈橢圓形，折沿，深腹。口沿錦地飾八寶紋，外壁飾鬥彩雲龍紋。

現藏中國國家博物館。

鬥彩人物紋菱式花盆

清・康熙

高31.8厘米。

器呈六方形，寬邊折沿。器身通繪群仙祝壽人物故事圖。口沿下青花橫書"大清康熙年製"楷書款。

現藏故宮博物院。

清（公元一六四四年至公元一九一一年）

五彩蝴蝶紋梅瓶

清·康熙

高36、口徑7.1厘米。

肩部以錢形錦紋爲地，開光內繪折枝花紋，腹部爲蝴蝶紋和朵花紋，頸部及近底部繪蕉葉紋和變形蓮瓣紋。現藏故宮博物院。

五彩花卉紋瓶

清・康熙

高20.3、口徑7.6厘米。

瓶外壁主題紋飾爲山石花卉紋。

現藏南京博物院。

米色地五彩花鳥紋玉壺春瓶

清・康熙

高27、口徑7.5厘米。

米色釉爲地，加繪竹石、梅花和飛禽等圖案。

現藏故宮博物院。

清（公元一六四四年至公元一九一一年）

五彩花鳥紋棒槌瓶

清·康熙
高48.1、口徑13.6厘米。
瓶身繪花鳥紋。
現藏故宮博物院。

五彩和合二仙棒槌瓶

清·康熙
高44、口徑12.5厘米。
瓶頸繪墨竹，腹部繪和合二仙人物圖。
現藏天津博物館。

五彩耕織圖棒槌瓶

清·康熙

高46.5、口徑12.3厘米。

瓶身繪耕織圖二組，并題"春碓"、
"分箔"五言詩兩首。

現藏故宮博物院。

灑藍地描金開光五彩花鳥紋棒槌瓶

清·康熙

高46.6、口徑12.2厘米。

瓶外壁以灑藍及描金圖案作地。頸部兩面開光，內繪
五彩萱花及山水。腹部四面開光，內均繪五彩加金花
鳥圖案。

現藏上海博物館。

五彩雉鷄牡丹紋瓶

清·康熙

高45、口徑12.3厘米。

頸部繪花卉竹石，器身繪雉鷄牡丹紋。外底書青花雙圈
"大明成化年製"楷書仿款。

現藏故宮博物院。

五彩百蝶瓶

清・康熙

高44、口徑12厘米。

瓶身滿繪飛蝶，間以蜻蜓等昆蟲。

現藏故宫博物院。

五彩加金三獅紋直頸瓶

清・康熙

高42.3、口徑4.1厘米。

口外沿紅彩繪朵梅一周，頸部飾紅彩描金勾蓮紋，腹部
飾三獅戲球圖，足部繪變形蕉葉飾紋一周。

現藏故宫博物院。

五彩團鶴紋葫蘆瓶

清·康熙

高42、口徑7.6厘米。

口部繪團花紋一周，頸部繪四團壽字，上下腹繪倒垂如意雲頭紋，內繪花卉，雲頭下有四團鶴。外底釉下暗刻"大明成化年製"草書仿款。

現藏故宮博物院。

五彩纏枝牡丹紋鳳尾尊

清·康熙

高46.3、口徑21.8厘米。

通體飾纏枝牡丹紋，頸與腹之間隔以紅彩幾何紋。

現藏故宮博物院。

五彩貼金蓮池紋鳳尾尊

清·康熙

高44、口徑22.4厘米。

頸部繪荷塘蓮花、蓮蓬、荷葉和翠鳥、蜜蜂，腹部繪荷塘蓮花、鷺鷥、蝴蝶和蜜蜂等。

現藏故宮博物院。

清（公元一六四四年至公元一九一一年）

五彩花卉紋碗

清·康熙

高5.7、口徑10.9厘米。

珊瑚紅地，彩繪花卉紋。底書青花"康熙御製"四字雙方框款。

現藏上海博物館。

黃地五彩雲龍紋碗

清·康熙

高6、口徑12.2厘米。

外壁繪雙龍戲珠紋。底書青花"大清康熙年製"楷書款。

現藏故宮博物院。

五彩人物紋碗

清·康熙

高8.3、口徑18.7厘米。

碗心繪一折枝桃，外壁繪八仙人物紋。

現藏故宮博物院。

五彩花鳥紋缸

清·康熙

高25.5、口徑60厘米。

缸身繪雉雞嬉戲于山石之上。

現藏中國國家博物館。

清（公元一六四四年至公元一九一一年）

五彩竹雀紋壺

清·康熙

高18.7厘米。

壺身一面繪竹雀圖，另一面爲行書詩句。

現藏故宮博物院。

五彩龍鳳紋盤

清・康熙

高6、口徑32.3厘米。

盤心和內外壁均飾兩組龍鳳紋。足內書青花雙圈

"大清康熙年製"楷書款。

現藏故宮博物院。

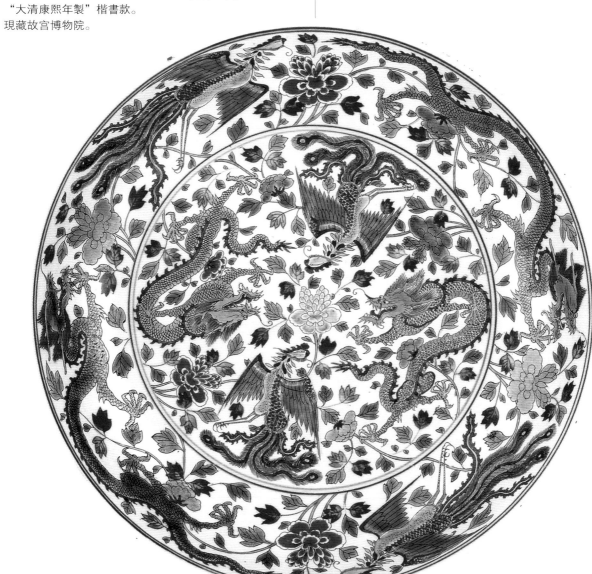

五彩山水圖盤
清·康熙
高3.6、口徑27.5厘米。
盤心繪青綠山水，題"卉庵"款。
盤沿亦繪山水圖。
現藏上海博物館。

五彩花鳥紋盤

清·康熙

高2.7、口徑25.2厘米。

盤外壁紅彩繪五蝙蝠紋。內口沿紅彩龜背錦地四開光，分別篆書有"萬壽無疆"四字。盤內心繪一鳥栖于花果枝幹上。底書青花雙圈"大清康熙年製"楷書款。

現藏中國國家博物館。

五彩麻姑獻壽折沿盤

清·康熙

高4.8、口徑39.2厘米。

盤內繪麻姑帶領仙女去向西王母進獻壽禮，鹿車上分別裝靈芝和酒尊。

現藏日本東京國立博物館。

清（公元一六四四年至公元一九一一年）

五彩百鳥朝鳳圖盤

清・康熙
高9.6、口徑55.4厘米。
盤中央繪一對鳳凰，四周百鳥圍繞。
現藏上海博物館。

五彩龍紋盤

清·康熙

高7.2、口徑47厘米。
盤內繪正面龍戲珠圖。外底書青花
雙圈"大明成化年製"楷書仿款。
現藏故宮博物院。

五彩描金花蝶紋攢盤

清·康熙

高4.3、口徑38.6厘米。
由內四個、外八個小盤攢成葵花形大盤，
盤內繪花卉和蝴蝶。
現藏上海博物館。

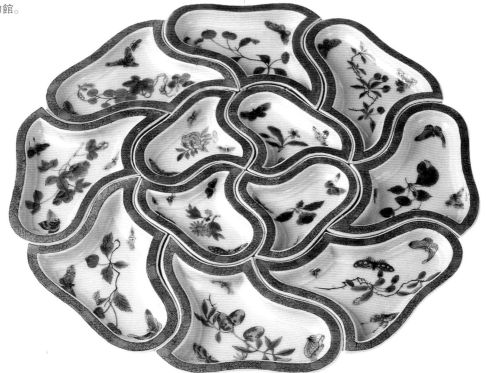

五彩西厢記圖缸

清·康熙

高33.2、口徑39.6厘米。

外壁以五彩花卉紋爲地，開
光內繪《西厢記》圖。

現藏中國國家博物館。

五彩釉裏紅海水雲龍紋缸

清·康熙

高28.8、口徑28.7厘米。

外壁釉裏紅繪雙龍戲珠紋，輔以五彩繪
雲紋、山石、海水紋。

現藏中國國家博物館。

五彩加金獸面紋方熏

清·康熙

高21.8、口邊長16.2厘米。

熏呈四方形，上部飾鏤空獸面紋，各面的四邊均飾龜背錦紋，下部獸面紋不鏤空。蓋爲覆斗形，上置獅形鈕。現藏故宮博物院。

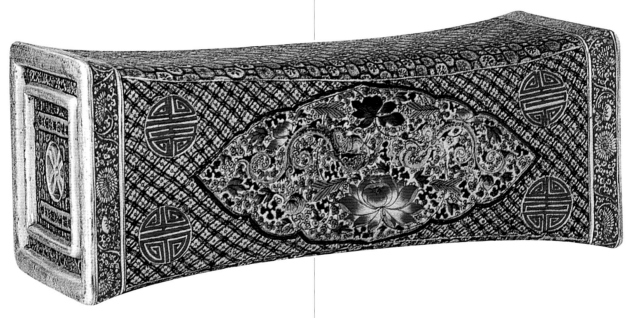

五彩加金開光蓮花紋枕

清·康熙

高15.6、長40.8厘米。

枕為長方形，兩頭高，中間略低。枕面紋飾以礬紅彩錦地為主，間施紅、綠彩加金裝飾。正面中間菱形開光內飾纏枝蓮及異獸紋，四角書"壽"字，背面有篆書題字。

現藏故宮博物院。

五彩加金花鳥紋八方花盆

清·康熙

高32、口徑51.5厘米。

器呈八邊方形。盆身四面繪花鳥紋，分別為玉蘭綬帶、蓮花鷺鷥、牡丹山雀和梅竹喜鵲。口沿下橫書黑彩"大清康熙年製"楷書款。

現藏故宮博物院。

紫地珐琅彩蓮花紋瓶

清·康熙

高13.2、口徑4.4厘米。

頸部繪變形蟬紋，瓶身繪折枝蓮花。底刻"康熙御製"楷書款。

現藏故宮博物院。

藍地珐琅彩牡丹紋碗

清·康熙

高5.2、口徑11厘米。

外壁藍彩爲地飾纏枝牡丹四朵，內壁光素。底書胭脂紅彩"康熙御製"印章款。

現藏故宮博物院。

藍地珐瑯彩纏枝牡丹紋碗

清·康熙

高7.5、口徑14.7厘米。

外壁繪纏枝牡丹紋，花中有"萬"、"壽"字。

底書胭脂紅彩"康熙御製"印章款。

現藏上海博物館。

黃地珐瑯彩花卉紋碗

清·康熙

高7.2、口徑15.2厘米。

外壁繪八朵牡丹花。底書藍彩"康熙御製"印章款。

現藏故宮博物院。

黄地珐琅彩纏枝牡丹紋碗

清·康熙

高7.8、口徑15厘米。

外壁繪纏枝牡丹花紋。底書藍彩"康熙御製"印章款。

現藏故宮博物院。

冬青釉五彩加金花鳥紋花盆

清·康熙

高33.3、口徑61厘米。

口沿上描繪雲鶴、桃樹紋，外壁繪花鳥紋，足部繪桃樹枝幹花葉紋。口沿下橫書青花"大清康熙年製"楷書款。

現藏故宮博物院。

冬青釉青花礬紅海天浴日紋碗

清·康熙

高6.8、口徑18厘米。

外壁及內心繪"海天浴日"紋。底書青花
"大清康熙年製"楷書款。

現藏故宮博物院。

冬青釉青花礬紅海天浴日紋碗內心

冬青釉描金山水圖洗

清·康熙

高13.2、口徑13.8厘米。

內底繪江上泛舟圖，外壁繪纏枝蓮紋。底書青花
"大清康熙年製"楷書款。

現藏故宮博物院。

三彩蓮池圖攢盤

清·康熙

高2.2、口徑40.3厘米。

此盤由七個小盤合成，中心盤呈六瓣花形。主題
紋飾爲蓮池圖。

現藏上海博物館。

素三彩花果紋盤

清·康熙
高4.5、口徑24.8厘米。
盤心暗刻龍紋，盤內外均繪折枝花果紋。
現藏上海博物館。

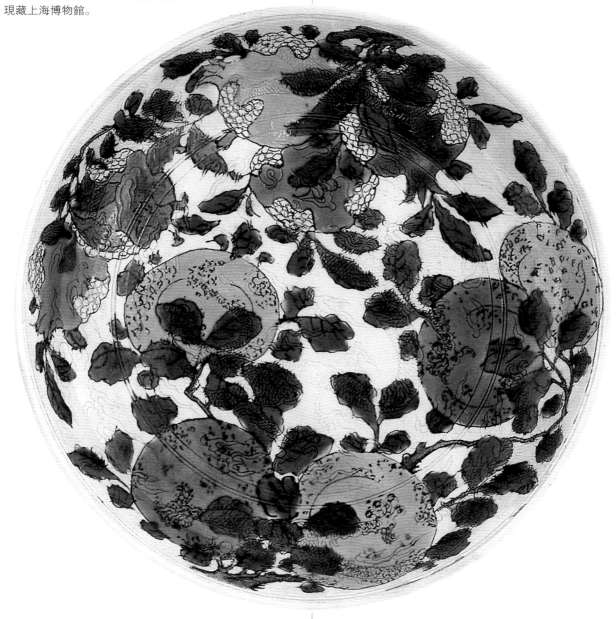

雕地龍紋素三彩花蝶紋碗

清·康熙

高6.8、口徑14.7厘米。

碗外壁在雕地上刻趕珠龍紋，素三彩繪月季花蝶紋。底書青花雙圈"大清康熙年製"楷書款。

現藏南京博物院。

素三彩虎皮斑紋碗

清·康熙

高5.6、口徑12.6厘米。

碗外壁滿飾黃、綠、紫和白四種色彩的斑紋，因酷似虎皮花紋，故又稱"虎斑紋"。底書青花雙圈"大清康熙年製"楷書款。

現藏南京博物院。

清（公元一六四四年至公元一九一一年）

素三彩鏤空錢紋香熏

清·康熙

高17.8、口徑18.5厘米。

器爲八角形。器壁鏤空成錢
紋，表面飾黃、綠、紫彩魚子
與蟠螭紋。

現藏故宫博物院。

釉下三彩山水紋筆筒

清·康熙

高14、口徑18.5厘米。

筒身繪山水景物圖案。底書青花
"大清康熙年製"楷書款。

現藏臺北故宫博物院。

黑釉描金盤口瓶

清·康熙

高44.9、口徑11.9厘米。

口沿飾波浪紋，頸部依次爲波浪紋、如意雲頭紋、團鳳紋、變形蓮瓣紋，肩部繪波浪紋和幾何紋一周，肩中部繪花卉紋，腹部錦地開光內繪海水龍紋及題詩。

現藏故宫博物院。

素三彩綠地海馬紋瓶

清·康熙

高23、口徑10.3厘米。

瓶身通體繪波浪紋和海馬紋。底書青花雙圈"大明成化年製"仿款。

現藏天津博物館。

黑地三彩爐

清·康熙

高11.9、口徑20.3厘米。

通體塗黑，留白處繪黃色梅花。底書
"大明嘉靖年製"楷書仿款。

現藏上海博物館。

綠彩八寶雲龍紋蓋罐

清·康熙

高22.5、口徑6.3厘米。

蓋面繪雲龍搶珠，腹部繪二龍趕珠，
肩和脛部繪八寶和蓮瓣紋。底書青花
雙圈"大清康熙年製"楷書款。

現藏故宮博物院。

藍地黃龍紋盤

清·康熙

高4、口徑25.2厘米。

內心飾一條戲珠龍，內外壁均繪兩組龍紋。足內書青花
雙圈"大清康熙年製"楷書款。

現藏故宮博物院。

白釉花觚

清·康熙

高18、口徑10.9厘米。

頸下及脛上部凸起弦紋三道，腹部上下各飾鼓釘一周。

底書青花"大清康熙年製"楷書款。

現藏故宮博物院。

白釉凸花團螭紋太白尊

清·康熙

高8.5、口徑3.1厘米。

腹部印飾凸起團螭紋三組。底書青花"大清康熙年製"楷書款。

現藏故宮博物院。

白釉鏤花碗

清·康熙

高4.7、口徑9.4厘米。

口沿鏤刻錦地錢紋，腹部鏤錦地花卉鶴紋。

足底書青花"大清康熙年製"楷書款。

現藏故宮博物院。

豆青釉暗花筆筒

清·康熙

高10、口徑18.8厘米。

外壁飾纏枝牡丹紋。底書青花"文章山製"款。

現藏天津博物館。

清（公元一六四四年至公元一九一一年）

豆青釉堆花雲紋馬蹄式水盂

清·康熙

高7.8、口徑4厘米。

水盂外壁堆花，飾祥雲紋。底書青花"大清康熙年製"楷書款。

現藏南京博物院。

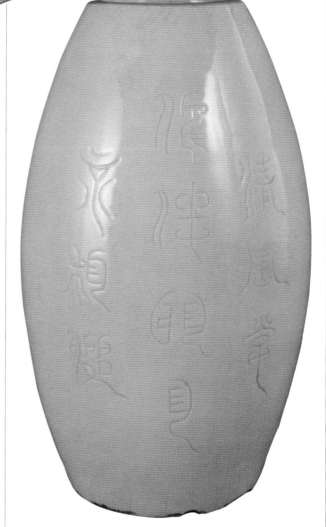

青釉橄欖式瓶（右圖）

清·康熙

高26、口徑7.3厘米。

胎面刻篆書"清風常作伴，明月永相隨"詩句。

現藏浙江省寧波市文物管理委員會。

青釉凸花海水雲螭紋瓶

清·康熙

高19.2、口徑3.3厘米。

頸下凸弦紋三道，近底部繪雲螭紋。底書青
花"大清康熙年製"楷書款。

現藏故宮博物院。

清（公元一六四四年至公元一九一一年）

黃釉暗花提梁壺

清·康熙

高13.7厘米。

平頂蓋帶鏤空圓鈕，流爲鳳首形，肩部塑龍形拱狀提
梁。蓋面暗刻雲紋及獸面紋，壺身上下滿飾奔鹿紋和飛
鳥紋。

現藏故宮博物院。

黃釉暗花西番蓮紋盤

清·康熙

高4、口徑17.8厘米。

黃釉色澤較暗，外壁及盤內心滿刻纏枝西番蓮紋。底書青花雙圈"大清康熙年製"楷書款。

現藏南京博物院。

黃釉淺浮雕龍紋長方形杯托

清·康熙

高1.5、長13.5、寬10.2厘米。

杯托爲長方委角造型，內底浮雕雙龍穿浪紋，盤心爲小杯圈足的反模造型，中心飾菊花。

現藏南京博物院。

豇豆紅釉暗刻團形螭龍紋太白尊

清·康熙

高8.7、口徑3.4厘米。

尊釉色淡雅，有紅色苔點。肩部暗刻三枚團形螭龍紋。

底書青花"大清康熙年製"楷書款。

現藏南京博物院。

豇豆紅釉水盂

清·康熙

高3.6、口徑8.6厘米。

器外通體施淡紅釉，釉面有星點綠苔。底書青花"大清康熙年製"楷書款。

現藏上海博物館。

豇豆紅釉菊瓣瓶

清·康熙

高20.3、口徑5.2厘米。

近足部繪菊瓣紋一周。底書青花"大清康熙年製"
楷書款。

現藏故宮博物院。

豇豆紅釉柳葉瓶

清·康熙

高15.4、口徑3.3厘米。

撇口，長頸。底書青花"大清康熙年製"楷書款。

現藏故宮博物館。

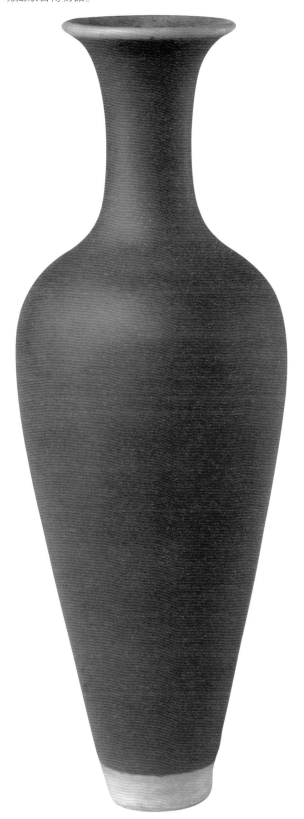

霁紅釉梅瓶

清·康熙

高24.4厘米。

敞口，圓肩。底書青花"大清康熙年製"楷書款。

現藏故宮博物院。

郎窑红釉膽式瓶

清·康熙
高36.2、口径5.3厘米。
外部施郎窑红釉，口沿一圈露白。
现藏故宫博物院。

珊瑚红釉瓶

清·康熙
高19厘米。
蒜头口，细长颈，圆腹。
现藏首都博物馆。

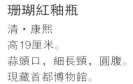

清（公元一六四四年至公元一九一一年）

郎窯紅釉瓶

清·康熙
高42.5、口徑12厘米。
外壁施紅釉，內壁及底施白釉。
現藏天津博物館。

郎窯紅釉觀音尊

清·康熙
高42.8、口徑14.6厘米。
尊身修長，通體施郎窯紅釉，釉面有冰裂紋開片。
現藏中國國家博物館。

霽藍釉碗

清·康熙
高8.9、口徑21.2厘米。
底書青花"大清康熙年製"楷書款和
"御賜純一堂珍藏"題記。
現藏故宮博物院。

天藍釉菊瓣尊

清·康熙
高17.3、口徑16厘米。
外壁飾菊瓣形凸棱。
現藏中國國家博物館。

清（公元一六四四年至公元一九一一年）

天藍釉凸拐耳梅瓶

清·康熙

高21、口徑3.9厘米。

頸部起弦紋一道，肩下飾對稱雙凸半環裝飾。

底書青花"大清康熙年製"楷書款。

現藏故宮博物院。

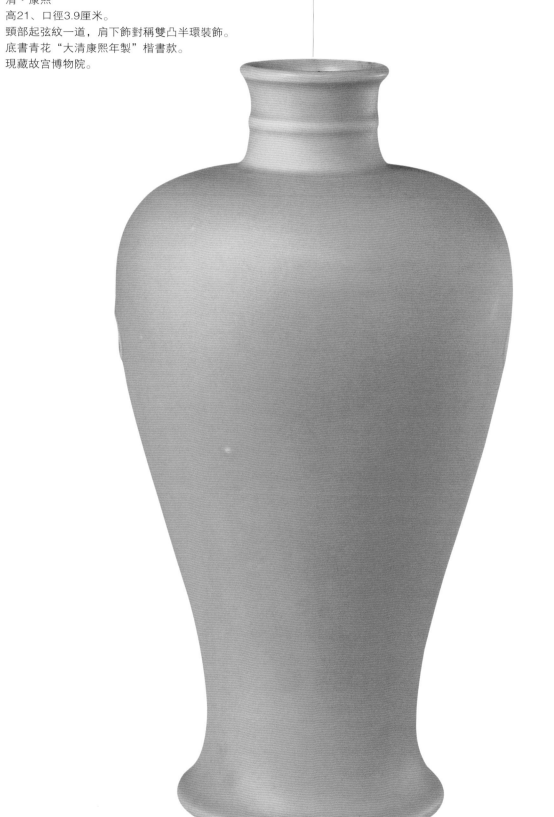

天藍釉刻菊花長頸瓶

清・康熙

高25.6、口徑3.4厘米。

瓶肩、腹部暗刻纏枝菊花紋，通體施天藍釉。

現藏中國國家博物館。

天藍釉琵琶式尊

清・康熙

高18.8、口徑6厘米。

底書青花“大清康熙年製”楷書款。

現藏故宮博物院。

茄皮紫釉螭耳瓶

清·康熙
高34厘米。
蒜頭口，頸部兩側有雙螭
耳。足內書"大清康熙年製"
楷書款。
現藏故宮博物院。

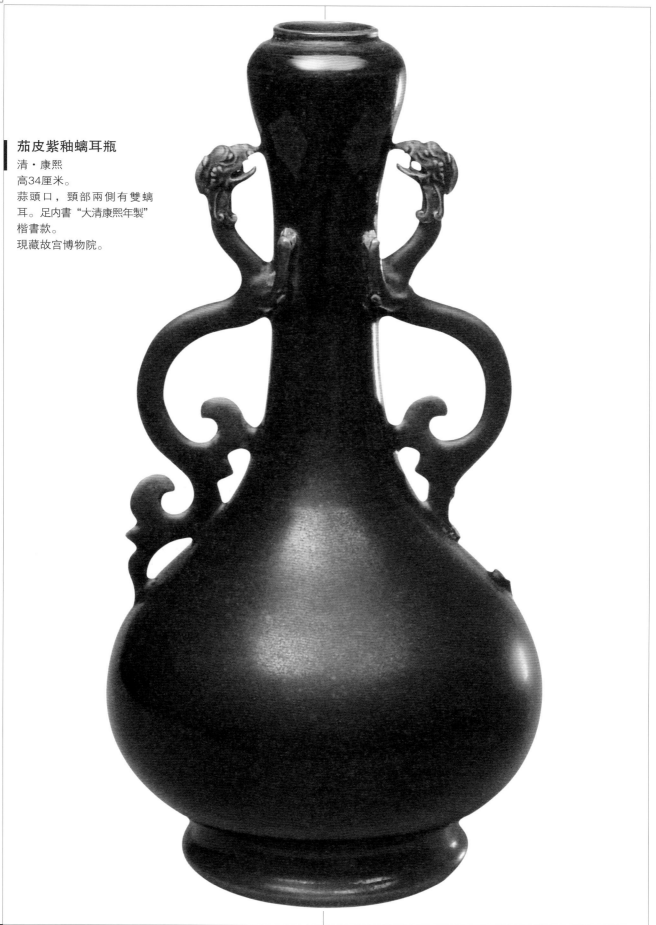

灑藍描金博古圖菱口碗

清·康熙

高10.5、口徑20.8厘米。

菱花口，外壁繪歲朝博古圖。底書

"大清康熙年製"楷書款。

現藏南京博物院。

孔雀綠釉凸螭紋方鼎

清·康熙

高19.6厘米。

造型仿古銅器。腹四面均飾凸雙螭紋。

現藏故宮博物院。

青花海水龍紋瓶

清·雍正

高27.5、口徑7厘米。

頸部凸起弦紋兩道，外壁通體繪海水龍紋。足內書青花雙圈"大清雍正年製"楷書款。

現藏故宮博物院。

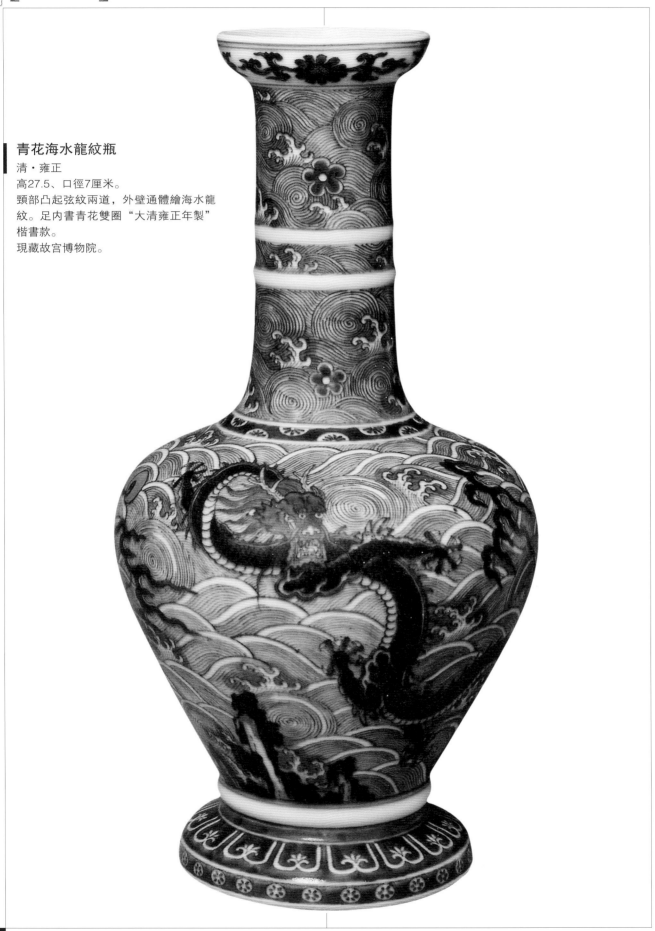

青花龍鳳紋燈籠瓶

清·雍正

高27.5、口徑9.5厘米。

腹部繪龍鳳雲紋，肩部繪"壬"字形雲紋，脛部繪如意雲頭紋。底書青花雙圈"大清雍正年製"楷書款。

現藏故宮博物院。

青花葫蘆飛蝠紋橄欖瓶

清·雍正

高40.4、口徑10.3厘米。

頸部繪蕉葉紋，腹部繪葫蘆飛蝠圖。底書青花雙圈"大清雍正年製"楷書款。

現藏首都博物館。

青花桃蝠紋橄欖瓶
清·雍正
高39.9、口徑10厘米。
瓶身繪桃樹、蝙蝠等紋飾。底書青花
雙圈"大清雍正年製"楷書款。
現藏故宮博物院。

青花雲龍紋瓶（右圖）

清·雍正

高57、口徑19.4厘米

口沿下飾海水和如意雲頭紋，腹部繪首尾相逐的兩條戲珠龍。底書青花"大清雍正年製"楷書款。

現藏首都博物館。

青花纏枝蓮紋蒜頭瓶

清·雍正

高53、口徑10厘米。

口沿繪纏枝菊花，頸部繪蕉葉紋、纏枝菊花及如意花卉，肩部繪纏枝蓮和折枝花，腹部繪纏枝蓮花紋，近足部繪海水紋。足內書青花"大清雍正年製"篆書款。

現藏故宮博物院。

青花纏枝蓮紋天球瓶

清·雍正

高58、口徑13厘米。

口沿飾忍冬紋，下繪如意雲頭，頸部繪蕉葉紋，肩部飾捲草紋，腹部滿繪纏枝花，近足部爲變形蓮瓣紋。底書青花"大清雍正年製"篆書款。

現藏故宮博物院。

青花三果紋瓶

清·雍正

高19、口徑3.3厘米。

腹部繪佛手、桃、石榴，口沿下繪回紋，頸部繪折枝花紋，肩部和足部繪忍冬紋。底書青花 "大清雍正年製" 楷書款。

現藏故宮博物院。

青花折枝蓮紋象耳折角方瓶

清·雍正

高17.1、口徑5.8、足徑8.8厘米。

頸兩側對稱置象首耳，口沿下繪回紋一周，頸上、下部及近底足處爲如意雲頭紋，腹部繪四組牽牛花紋。足內書青花雙圈 "大清雍正年製" 楷書款。

現藏故宮博物院。

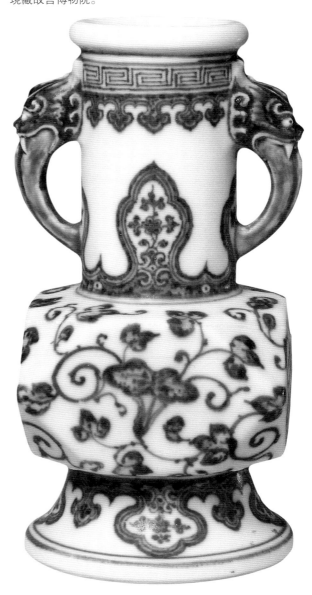

青花纏枝蓮紋貫耳穿帶瓶

清·雍正

高61厘米。

頸部置對稱貫耳。通體紋飾以纏枝花爲主，輔以如意雲頭、蓮瓣、忍冬及海水紋等。足內書青花"大清雍正年製"篆書款。

現藏故宮博物院。

青花花鳥紋雙耳扁瓶

清·雍正

高36.5、口徑5.4厘米。

頸肩部有如意形雙耳。頸部繪竹葉紋，腹部兩面分別繪喜鵲登梅圖和枇杷綬帶鳥。底書青花"大清雍正年製"篆書款。

現藏故宮博物院。

青花瓜紋棱瓶（右圖）

清·雍正
高8.8厘米。
器呈八棱形。瓶身繪瓜紋。底書青花
"大清雍正年製"楷書款。
現藏北京藝術博物館。

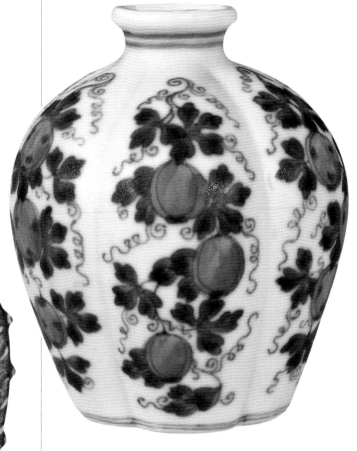

青花纏枝蓮紋雙螭耳盤口尊

清·雍正
高32.5、口徑8厘米。
盤口，竹節狀長頸，肩與口有對稱雙龍形柄。自口沿至
底分別繪海水浪花紋、回紋、忍冬紋、折枝花、纏枝花
和蓮瓣紋。底書青花"大清雍正年製"篆書款。
現藏故宮博物院。

青花纏枝蓮紋鳩耳尊

清·雍正

高47、口徑21.2厘米。

頸、肩部有對稱鳩耳。器身紋飾以纏枝蓮爲主，輔以如意雲頭、蓮瓣和忍冬紋等。足內書青花"大清雍正年製"篆書款。

現藏故宮博物院。

青花鳳紋罐（右圖）

清·雍正

高13、口徑5.5厘米。

腹部繪飛鳳紋。底書青花"大清雍正年製"楷書款。

現藏故宮博物院。

青花雲龍紋蓋罐

清·雍正

高11厘米。

寶珠鈕上繪蓮瓣紋，腹部繪雲龍紋，頸、足部分別繪纏
枝花紋和蓮瓣紋。底書青花"大清雍正年製"楷書款。
現藏故宮博物院。

青花折枝花果紋蓋罐

清·雍正

高14.7厘米。

蓋面上繪青花朵花紋，肩部飾如意雲頭紋，腹部
繪石榴、桃、枇杷花果各三組，近足部繪變形蓮瓣
紋。底書青花"大清雍正年製"楷書款。
現藏故宮博物院。

青花纏枝蓮紋花插

清·雍正

高24.8、口徑6.4厘米。

肩腹部有雙螭龍耳，肩部有八圓孔，口頸與肩腹上下分爲兩截，可分離嵌合。從頸至下爲蕉葉紋、回紋、朵蓮紋、纏枝蓮紋和變形蓮瓣紋等。底書青花"大清雍正年製"篆書款。

現藏故宮博物院。

清
（
公
元
一
六
四
四
年
至
公
元
一
九
一
一
年
）

青花雲龍紋折沿盤

清·雍正

高8.6、口徑45厘米。

盤外壁飾壽山福海紋，折沿處飾水波紋，内心、内
壁均飾雲龍紋。底書青花雙圈"大清雍正年製"
楷書款。

現藏中國國家博物館。

青花一束蓮紋盤

清·雍正

高5.8、口徑27.8厘米。

盤内壁口沿、外壁脛部繪捲草紋，盤
壁内、外繪纏枝花卉紋，外口沿繪一周
回紋，内底心飾一束蓮紋。底書青花雙圈
"大清雍正年製"楷書款。

現藏南京博物院。

青花纏枝花卉紋缸

清·雍正

高23.4、口徑34厘米。

缸肩部爲如意雲頭紋，内、外壁均繪纏枝花卉紋，脛部
飾蓮瓣紋。

現藏中國國家博物館。

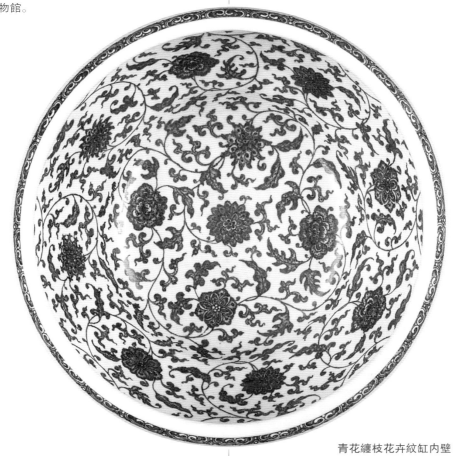

青花纏枝花卉紋缸内壁

青花纏枝蓮紋折沿盆

清·雍正

高14.5、口徑33.4厘米。

盆心繪團花紋，外圍爲水波紋，内外壁均飾纏枝四季花卉，内口沿繪海水紋，外繪折枝花卉。底書青花"大清雍正年製"楷書款。

現藏故宫博物院。

青花花鳥紋缸

清·雍正

高34、口徑64.2厘米。

外壁繪洞石花鳥圖。洞石邊翠竹叢生，梅花綻放，喜鵲飛鳴。

現藏中國國家博物館。

青花釉裏紅纏枝蓮紋雙螭耳尊

清·雍正

高44.3、口徑16.3厘米。

頸肩部有螭耳。外壁繪纏枝蓮紋，口沿、近足部繪忍冬
紋及蓮瓣紋。底書青花"大清雍正年製"篆書款。

現藏故宮博物院。

青花釉裏紅海水紅龍紋天球瓶

清·雍正

高55厘米。

瓶身繪海水雲龍紋，并描繪海水江牙。器底書青花"大
清雍正年製"篆書款。

現藏故宮博物院。

清 （ 公 元 一 六 四 四 年 至 公 元 一 九 一 一 年 ）

青花釉裏紅折枝花果紋瓶

清·雍正

高35.6厘米。

肩部繪蓮瓣紋，腹部繪折枝花果紋，足部繪蕉葉紋。底
書青花"大清雍正年製"楷書款。

現藏故宮博物院。

青花釉裏紅鳳穿牡丹紋蓋罐（右圖）

清·雍正

高28.7、口徑12.5厘米。

口部繪纏枝蓮紋，肩部和近底部繪雲蝠紋，腹部繪雙鳳
穿牡丹。底書"大明宣德年製"楷書仿款。

現藏故宮博物院。

釉裏紅海水白龍紋瓶

清·雍正

高35.5、口徑7.2厘米。

通體紅釉繪海水紋，留白暗刻二白龍。底書青花"大清雍正年製"楷書款。

現藏故宮博物院。

鬥彩團花紋天球瓶

清·雍正

高52.2、口徑11.5厘米。

瓶通體繪鬥彩紋飾，口沿、頸肩部繪"卍"字紋、折枝花卉紋和如意雲頭紋，腹部爲團花紋和折枝花卉紋，脛部爲壽山福海紋。底書青花"大清雍正年製"篆書款。現藏中國國家博物館。

鬥彩纏枝蓮紋梅瓶

清・雍正

高26.3、口徑5.5厘米。

頸部繪朵花紋，肩部繪勾蓮紋，腹部繪六組折枝花卉，脛部繪纏枝寶相花。底書青花"大清雍正年製"楷書款。

現藏故宮博物院。

鬥彩番蓮福壽圖葫蘆瓶

清・雍正

高28.6厘米。

上腹繪"壽"字、群蝠、山石和海濤，下腹有十四條凸棱，每棱上繪一枝番蓮，足邊繪折枝雙果。底書"大清雍正年製"楷書款。

現藏中國國家博物館。

鬥彩花卉紋如意耳蒜頭瓶

清·雍正

高26、口徑5.2厘米。

蒜頭口上繪折枝花卉紋，頸部飾捲草紋、朵花紋和蕉葉紋，肩、脛部繪如意雲紋和變形蓮瓣紋，腹部繪六組折枝花卉紋。底書青花"大清雍正年製"楷書款。

現藏故宮博物院。

鬥彩團花紋罐

清·雍正

高17.2、口徑8.4厘米。
罐身滿繪七十五個團花紋。
現藏故宮博物院。

鬥彩纏枝花紋三足洗

清·雍正

高5.4、口徑17.5厘米。
外壁繪纏枝蓮紋，足部繪折枝菊花。底書青花
"大清雍正年製"楷書款。
現藏故宮博物院。

鬥彩龍鳳紋盤

清·雍正

高9.5、口徑44.5厘米。

盤心繪飛龍、飛鳳戲珠圖，內壁繪蓮紋，折沿上滿飾祥雲紋，外壁繪海水、山石、靈芝和蝙蝠紋。底書青花"大清雍正年製"楷書款。

現藏故宮博物院。

鬥彩鴛鴦蓮紋盤

清·雍正

高3.8、口徑15.7厘米。

盤心青花雙圈內和外壁均繪鬥彩蓮池鴛鴦紋。

底書青花雙圈"大清雍正年製"楷書款。

現藏故宮博物院。

鬥彩海屋添籌紋盤

清·雍正

高3.9、口徑20.6厘米。

盤內繪海屋添籌圖，外壁繪海浪。底書
"大清雍正年製"楷書款。

現藏天津博物館。

鬥彩花卉紋菊瓣尊

清·雍正

高25.7、口徑22厘米。

紋飾充分利用花瓣形器身的特點，順着棱脊將連枝花繪
成直條狀。底書青花"大明成化年製"楷書仿款。
現藏故宮博物院。

鬥彩花鳥紋提梁壺

清・雍正

高14、口徑4.3厘米。

腹部繪鳳凰、仙鶴、鴛鴦等，襯以山石和牡丹。底書青
花"大清雍正年製"楷書款。

現藏首都博物館。

鬥彩萬花獻瑞紋碗

清·雍正

高5.2、口徑10.1厘米。

碗內心飾團花紋，外壁繪纏枝什錦花卉紋。底書青花雙
圈 "大清雍正年製" 楷書款。

現藏南京博物院。

五彩蝙蝠葫蘆紋碗

清·雍正

高5.8、口徑9.3厘米。

外壁繪三組紅蝙蝠和葫蘆，寓意 "福祿雙全"。底書青
花 "大清雍正年製" 楷書款。

現藏故宮博物院。

五彩仕女紋罐（右圖）

清・雍正

高34.1、口徑14.6厘米。

器身繪仕女嬰戲圖。四仕女在庭園中游玩、憩息，四小童在一旁玩耍。底書青花"大清雍正年製"楷書款。

現藏故宮博物院。

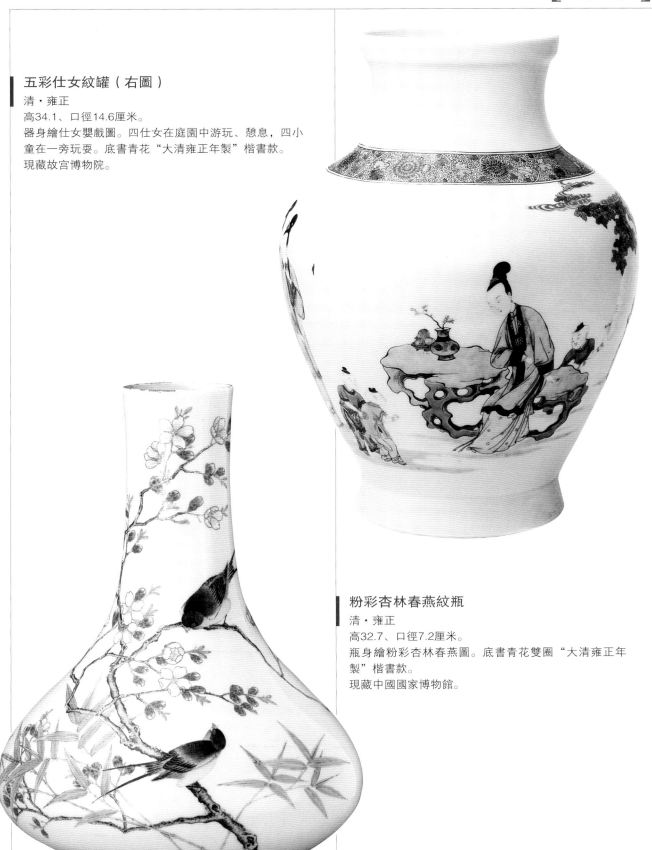

粉彩杏林春燕紋瓶

清・雍正

高32.7、口徑7.2厘米。

瓶身繪粉彩杏林春燕圖。底書青花雙圈"大清雍正年製"楷書款。

現藏中國國家博物館。

粉彩蓮池紋玉壺春瓶

清·雍正

高27.6、口徑8.3厘米。

瓶身繪通景池水荷蓮。底書青花

"大清雍正年製"楷書款。

現藏故宮博物院。

粉彩牡丹盤口瓶

清·雍正

高27.5、口徑6.3厘米。

瓶身繪盛開的牡丹花。底書青花"大清雍正年製"楷書款。

現藏故宮博物院。

粉彩蝠桃紋橄欖瓶

清·雍正

高39.5厘米。

瓶身繪結果的桃樹，綴以蝙蝠。底書青花"大清雍正年製"楷書款。

現藏上海博物館。

粉彩八桃紋天球瓶

清·雍正

高50.6、口徑11.9厘米。

瓶身繪桃樹、月季各一株，桃樹上結八個蟠桃。底書青
花"大清雍正年製"篆書款。

現藏故宮博物院。

粉彩梅仙鹌鹑紋天球瓶

清・雍正

高19.1、口徑3.2厘米。

瓶身繪鹌鹑、梅花、水仙花及山石等圖案。底書青花
"大清雍正年製"篆書款。

現藏故宮博物院。

清（公元一六四四年至公元一九一一年）

粉彩花鳥紋瓜棱瓶

清·雍正

高45、口徑12.4厘米。

瓶身繪四季花卉和飛鳥紋。

現藏上海博物館。

粉彩花蝶膽式瓶

清·雍正

高37.6、口徑4.1厘米。

瓶身繪桃枝一株，彩蝶翩翩飛舞其間。

底書青花"大清雍正年製"楷書款。

現藏故宮博物院。

緑地粉彩描金堆花六角瓶

清·雍正

高37.7厘米。

器身爲六角形，足内凹。以緑彩爲地，開光外以墨彩描金爲地。底書"雍正年製"篆書款。

現藏上海博物館。

珊瑚紅地粉彩牡丹紋貫耳瓶

清·雍正

高31.4、口徑7.1厘米。

瓶身繪粉彩黄、白、粉各色牡丹及緑葉。底書青花"大清雍正年製"楷書款。

現藏故宫博物院。

珊瑚紅地粉彩花鳥紋瓶
清·雍正
高21.7、口徑3.5厘米。
瓶身繪小鳥、蜜蜂、碧桃花和翠
竹圖案。底書青花"大清雍正年製"
楷書款。
現藏首都博物館。

粉彩玉蘭紋盤

清·雍正

高8.8、口徑50厘米。

盤心繪牡丹、玉蘭及海棠花，枝條沿盤壁伸展至外壁。

盤底書青花"大清雍正年製"楷書款。

現藏故宮博物院。

粉彩過枝桃果紋盤

清·雍正

高4、口徑20.5厘米。

盤內和外壁繪過枝桃果紋，輔以蝙蝠紋。

現藏天津博物館。

粉彩仕女嬰戲紋盤

清·雍正

口徑20厘米。

盤心繪一仕女正與兩個兒童在室內說話。

現藏英國倫敦維多利亞和阿爾伯特國立博物院。

墨地粉彩纏枝蓮紋盤

清·雍正
高2.9、口徑14.8厘米。
內壁施白釉，外壁墨彩爲地，繪八朵纏枝花紋。底書青
花"大清雍正年製"楷書款。
現藏天津博物館。

粉彩過枝花卉紋碗

清·雍正
高5.8、口徑13.7厘米。
碗外壁繪山石旁一株菊花，其旁繪罌粟花。碗內繪大小
二枝菊花。
現藏故宮博物院。

粉彩花卉紋葵瓣碗

清·雍正

高9、口徑18.8厘米。

器呈六方葵瓣形，六面飾花卉紋。底書“大清雍正年製”楷書款。

現藏中國國家博物館。

粉彩纏枝牡丹紋鏤空蓋盒

清·雍正

高13.2、口徑21.7厘米。

盒呈扁圓形，子母口，寶珠形鈕。蓋面鏤空纏蓮紋，蓮朵中心鏤空團“壽”字，近足部繪蓮瓣紋，圈足外繪回紋。底書青花“雍正年製”篆書款。

現藏故宮博物院。

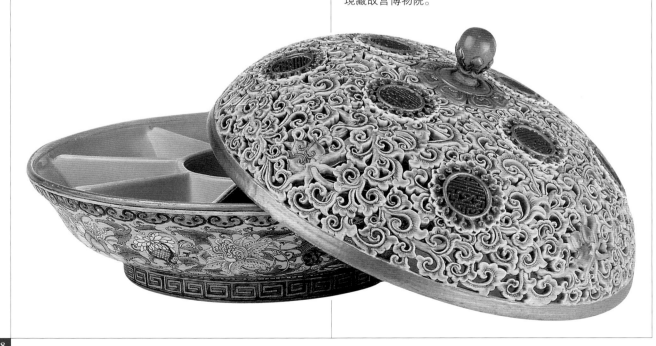

粉彩人物圖筆筒

清·雍正

高13.6、口徑17.4厘米。

筒身繪庭院人物圖。器底書青花"大清雍正年製"
楷書款。

現藏上海博物館。

清（公元一六四四年至公元一九一一年）

珐琅彩松竹梅紋瓶

清·雍正

高16.9、口徑3.9厘米。

外壁繪"歲寒三友"圖，圖案上方書"上林苑裏春長在"詩句。底書青花"大清雍正年製"楷書款。

現藏故宮博物院。

珐琅彩山水圖碗

清·雍正

高5.5、口徑10厘米。

外壁一面繪山水圖，另一面題七言詩兩句。

底書青花"雍正年製"楷書款。

現藏故宮博物院。

珐琅彩墨竹圖碗

清·雍正

高7.5、口徑16.1厘米。

外壁一面繪竹石圖，另一面題五言詩兩句。

底書青花"雍正年製"楷書款。

現藏上海博物館。

珐琅彩雉鷄牡丹紋碗

清·雍正
高6.6、口徑14.5厘米。
外壁一面繪雉鷄牡丹圖，另一面題五言詩兩句。
底書"雍正年製"楷書款。
現藏故宮博物院。

珐琅彩百花紋碗

清·雍正
高5.5、口徑10.1厘米。
外壁繪各色花卉。底書"雍正年製"楷書款。
現藏故宮博物院。

珐琅彩黄地雲龍紋碗

清·雍正

高5、口徑10厘米。

外壁繪二龍戲珠紋。底書"雍正年製"楷書款。

現藏故宮博物院。

黄地珐琅彩梅花詩句紋碗

清·雍正

高6.2、口徑12厘米。

外壁繪梅花，另一側題五言詩。底書"雍正年製"
楷書款。

現藏故宮博物院。

墨彩山水圖墨床
清・雍正
高6.3、長21.8、寬15.5厘米。
床面繪墨彩青綠山水圖。
現藏北京藝術博物館。

黃地綠彩雲蝠紋碗
清・雍正
高7.3、口徑15.2厘米。
外壁以綠彩繪雲紋，間飾紅色蝙蝠銜綬帶葫蘆，寓意
"福壽萬代"。底書青花"大清雍正年製"楷書款。
現藏故宮博物院。

黃地綠彩海水白鶴紋碗

清·雍正

高6.5、口徑15.1厘米。

外壁錐刻海水、祥雲和仙鶴等圖案。

底書青花"大清雍正年製"楷書款。

現藏故宮博物院。

礬紅地白花蝴蝶紋圓盒

清·雍正

高10、口徑18厘米。

外壁紅地留白蝴蝶紋及纏枝花紋。

底書青花"大清雍正年製"楷書款。

現藏故宮博物院。

白釉嬰耳長頸瓶

清·雍正

高16.4、口徑4.5厘米。

頸部飾一對兒童，手執靈芝狀串珠條帶。

現藏故宮博物院。

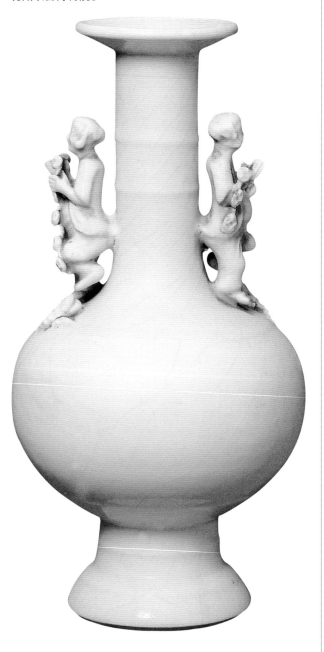

墨地綠彩花鳥紋瓶

清·雍正

高19.5厘米。

瓶身滿繪花鳥紋。底書青花"大清雍正年製"楷書款。

現藏北京藝術博物館。

白釉雙魚瓶（右圖）

清・雍正

高23、口徑4.9厘米。

連體雙魚形，兩魚鰓下置雙繫。底書青花
"大清雍正年製"楷書款。

現藏故宮博物院。

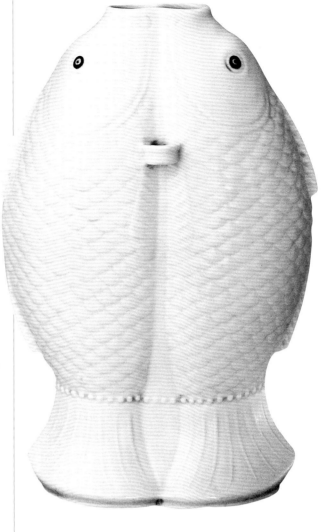

青釉花瓣口尊

清・雍正

高34.3、口徑19.8厘米。

通體呈花瓣形。器身分上下兩部分，上部六面均飾變形
鳳紋，下部六面各飾相對的螭虎紋、團螭紋和雙錢紋。
底書青花"大清雍正年製"篆書款。

現藏故宮博物院。

青釉瓜棱罐（右圖）

清·雍正

高21.4、口徑7厘米。

瓜棱式，敞口，鼓腹，圈足。底書青花
"大清雍正年製"篆書款。

現藏故宮博物院。

青釉荸薺式三繫瓶

清·雍正

高14.6、口徑7厘米。

肩部有三繫，腹大而扁。底書青花
"大清雍正年製"篆書款。

現藏故宮博物院。

青釉雲龍紋缸

清·雍正

高45.5、口徑40.6厘米。

外壁剔雕雲龍紋兩組，每組行龍兩條，互逐戲珠。

現藏上海博物館。

粉青釉凸花如意耳蒜頭瓶

清·雍正

高22.9、口徑4.2厘米。

蒜頭形口，口、肩之間有對稱如意耳。口部飾纏枝蓮紋，頸部飾捲草紋，肩部飾如意頭紋，腹部飾纏枝蓮紋，近足部飾蓮瓣紋。底書青花"大清雍正年製"篆書款。

現藏故宮博物院。

粉青釉茶壺

清·雍正

高11.6厘米。

蓋與壺子母口套合，上附橋形繫。底書青花"大清雍正年製"篆書款。

現藏故宮博物院。

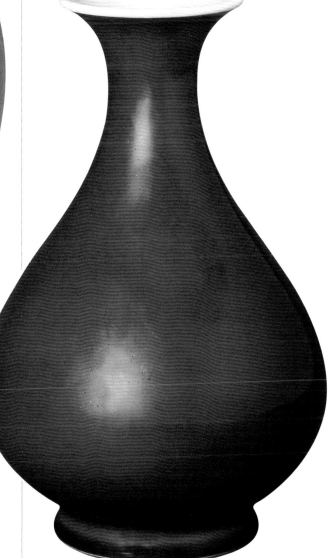

霽紅釉玉壺春瓶
清·雍正
高24、口徑8厘米。
通體施霽紅釉。底書青花"大清雍正年製"楷書款。
現藏首都博物館。

粉青釉暗纏枝蓮紋尊
清·雍正
高69、口徑23厘米。
口沿飾弦紋，頸部飾花葉紋，腹部飾纏枝蓮紋，
近足部飾變形蓮瓣紋。底書青花"大清雍正年
製"篆書款。
現藏故宮博物院。

霁紅釉梅瓶

清·雍正

高25.8、口徑5.2厘米。

口沿施白釉。底書青花"大清雍正年製"楷書款。

現藏故宮博物院。

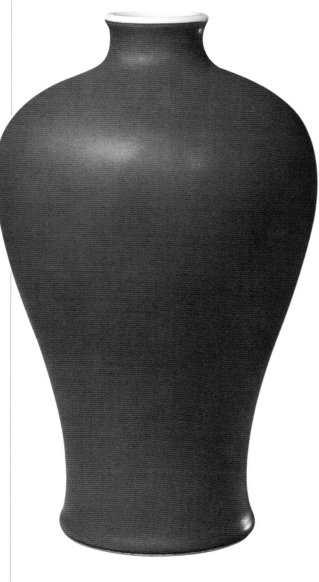

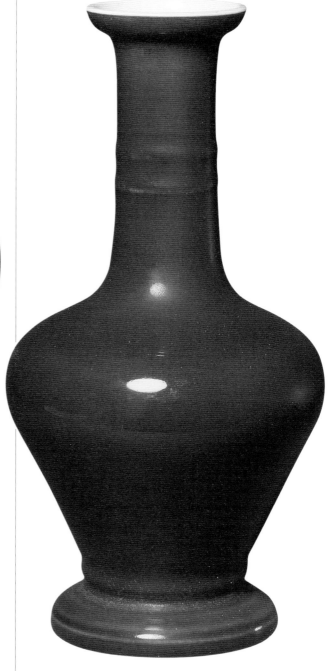

霁紅釉長頸盤口瓶

清·雍正

高27.2、口徑7厘米。

口沿施一圈白釉。底書青花"大清雍正年製"楷書款。

現藏故宮博物院。

淡粉紅釉梅瓶（右圖）

清·雍正

高19.5厘米。

蒜頭形口。足底書青花"大清雍正年製"楷書款。

現藏故宮博物院。

霽藍釉盤口尊

清·雍正

高27.3、口徑9.1厘米。

淺盤口，圓腹，圈足。底書青花

"大清雍正年製"楷書款。

現藏故宮博物院。

霁藍釉渣斗

清·雍正

高20.5、口徑22.7厘米。

撇口，束頸，球腹，圈足。底書青花
"大清雍正年製"楷書款。

現藏故宮博物院。

松石綠釉暗花回紋折腰碗

清·雍正

高12.6、口徑26厘米。

外口沿、腹部和足部刻劃回紋六周，腹下部刻海水浪花
紋一周。底書青花"大清雍正年製"楷書款。

現藏故宮博物院。

天藍釉環耳方瓶
清·雍正
高27、口徑6.5厘米。
腹兩面對貼一梅花帶環耳。底書青花"大清雍正年製"篆書款。
現藏故宮博物院。

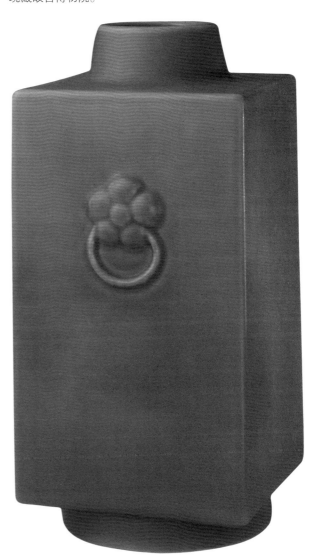

天藍釉紡錘瓶
清·雍正
高25厘米。
肩部凸飾弦紋一道，下腹內斂折收。底書青花"大清雍正年製"篆書款。
現藏故宮博物院。

孔雀藍釉撇口尊（右圖）
清·雍正
高27、口徑14.8厘米。
外壁有凸棱八組，每組內有凹綫紋三組。
現藏故宮博物院。

青金藍釉蒜頭瓶
清·雍正
高28、口徑4厘米。
蒜頭口，圈足底刻"雍正年製"篆書款。
現藏故宮博物院。

孔雀藍釉凸花尊

清·雍正

高28.8、口徑11.2厘米。

口部飾如意雲頭紋一周，頸部飾蕉葉紋，肩部
飾如意頭紋，腹部飾纏枝靈芝紋，近足部飾變
形蓮瓣紋一周。

現藏故宮博物院。

龜皮綠釉撇口瓶

清·雍正

高20、口徑8厘米。

通體施綠釉，釉面有結晶斑點。底印"雍正年
製"篆書款。

現藏故宮博物院。

綠釉凸花如意耳蒜頭瓶（右圖）

清·雍正

高26.3、口徑5.3厘米。

口、肩部置綬帶形雙耳。口及腹部均有暗刻纏枝蓮紋，肩部凸弦紋下刻如意頭紋一周。底書青花“大清雍正年製”篆書款。

現藏故宮博物院。

松石綠釉貫耳瓶

清·雍正

高26.4、口徑9.8厘米。

器爲八折方體，頸部飾兩道凸弦紋，兩側置六方形貫耳。底刻“大清雍正年製”篆書款。

現藏天津博物館。

窯變釉弦紋盤口瓶

清·雍正

高27.3、口徑7.1厘米。

盤口，頸部有弦紋兩道。底印"雍正年製"篆書款。

現藏故宮博物院。

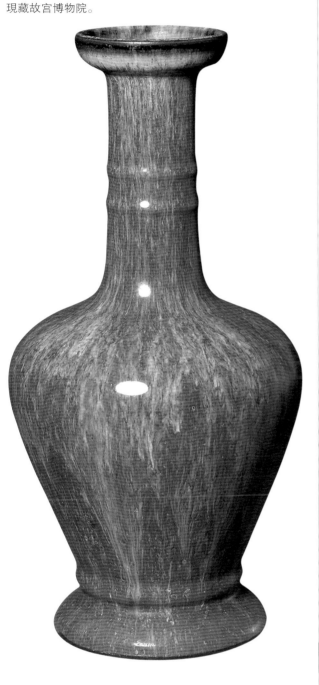

窯變釉雙螭耳瓶

清·雍正

高27.2、口徑7.7厘米。

頸部置對稱雙螭耳。底印"雍正年製"篆書款。

現藏故宮博物院。

窯變釉弦紋瓶（右圖）

清·雍正

高25.2、口徑7厘米。

頸肩部飾七道凸弦紋。底印"雍正年製"篆書款。

現藏故宮博物院。

窯變釉杏圓雙耳扁瓶

清·雍正

高25、口徑6.7厘米。

頸肩部置兩如意形雙耳，腹部兩面凸起杏圓形。

底印"雍正年製"篆書款。

現藏故宮博物院。

窯變釉貫耳瓶

清·雍正
高33.3、口徑10.7厘米。
頸部置對稱貫耳。底陰刻"大清雍正年製"篆書款。
現藏故宮博物院。

窯變釉如意耳尊

清·雍正
高35.5、口徑14.5厘米。
頸部置對稱如意形雙耳，肩、腹部凸起弦紋數道。底印
"雍正年製"篆書款。
現藏天津博物館。

窑變釉蟠螭魚簍尊

清・雍正

高17.2、口徑18.3厘米。

器身堆塑一條蟠螭向上爬行。底印“雍正年製”篆書款。

現藏天津博物館。

茄皮紫釉膽式瓶（右圖）

清・雍正

高26、口徑3.3厘米。

底印“雍正年製”篆書款。

現藏故宮博物院。

茶葉末釉壺
清·雍正
高8.8、口徑8.5厘米。
底印"雍正年製"篆書款。
現藏故宮博物院。

仿汝釉雙耳扁瓶
清·雍正
高35.5厘米。
頸兩側置螭形耳，腹部四面各有一凹進的
菱形裝飾。底書青花"大清雍正午製"篆
書款。
現藏故宮博物院。

仿鈞釉雙螭耳尊

清·雍正
高38、口徑13.4厘米。
尊肩部飾對稱蟠螭耳，通體施仿鈞釉。
底刻"大清雍正年製"篆書款。
現藏中國國家博物館。

仿鈞釉菱花形洗

清·雍正

高6.6、口徑24.3厘米。

洗呈菱花形。底陰刻"大清雍正年製"篆書款。

現藏故宮博物院。

仿官釉匜式尊

清·雍正

高26、口徑14.5厘米。

口一側有流，短頸，球腹，擰花狀圈足。底書青花"大清雍正年製"篆書款。

現藏故宮博物院。

仿官釉琮式瓶

清·雍正

高24、口徑6厘米。

半圓口，長方體，半圓形足，釉面有大開片，瓶壁凸起四組八卦紋。底書青花"大清雍正年製"篆書款。

現藏故宮博物院。

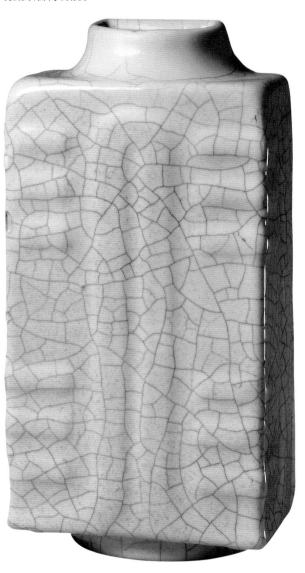

仿哥釉三羊瓶

清·雍正

高27、口徑7.3厘米。

瓶身上下飾四道凸弦紋，脛部貼塑素胎羊三隻。底書青花"大清雍正年製"篆書款。

現藏故宮博物院。

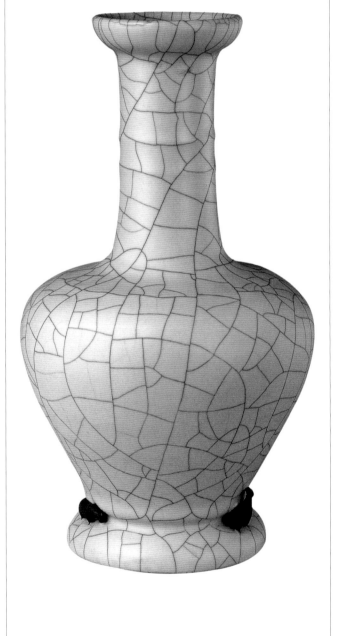

仿哥釉貫耳扁方瓶

清·雍正

高47.5厘米。

頸部置兩貫耳，肩下黑褐色胎骨上模印饕餮紋。底書青花"大清雍正年製"篆書款。

現藏故宮博物院。

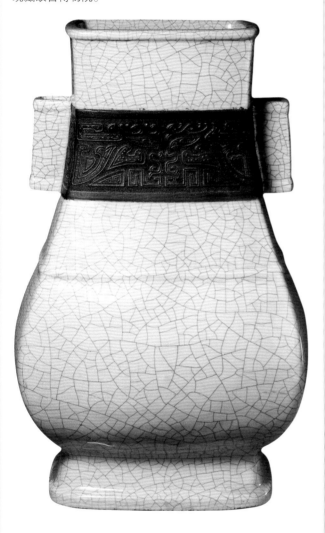

仿定窰花觚

清·雍正

高19.7、口徑14.1厘米。

造型仿古銅器，外壁印蕉葉紋。底刻"大清雍正年製"篆書款。

現藏南京博物院。

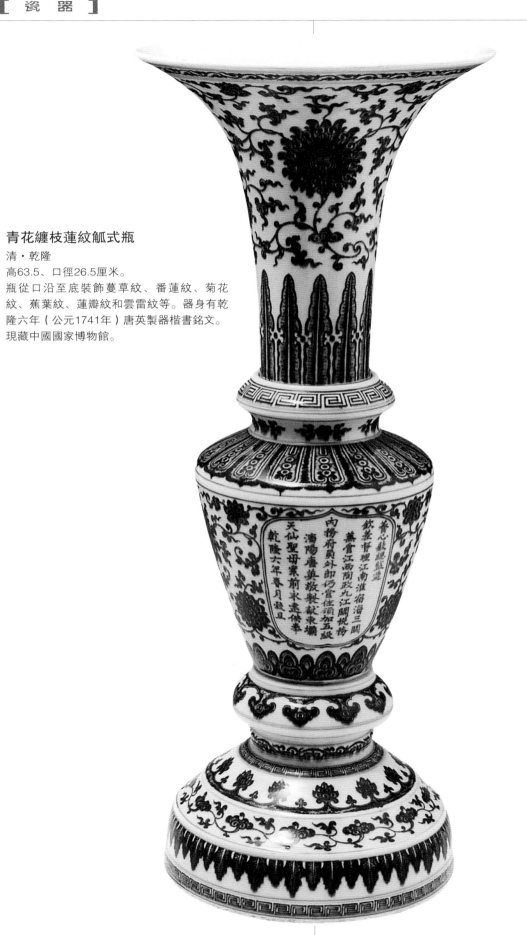

青花纏枝蓮紋觚式瓶

清·乾隆

高63.5、口徑26.5厘米。

瓶從口沿至底裝飾蔓草紋、番蓮紋、菊花紋、蕉葉紋、蓮瓣紋和雲雷紋等。器身有乾隆六年（公元1741年）唐英製器楷書銘文。現藏中國國家博物館。

青花龍鳳紋盤口瓶

清·乾隆

高52.5、口徑18.2厘米。

瓶口沿飾海水紋，頸部飾變體蕉葉紋、海水紋和回紋，肩部飾鳳穿蓮紋，腹部爲龍穿蓮紋，脛部飾變體蓮瓣紋，足墻爲海水紋。底書青花"大清乾隆年製"篆書款。

現藏中國國家博物館。

清（公元一六四四年至公元一九一一年）

青花折枝花卉紋蒜頭瓶

清·乾隆

高28.8、口徑3.8厘米。

器身飾青花石榴、枇杷、牡丹、菊花等折枝花果。底書青花"大清乾隆年製"篆書款。

現藏首都博物館。

青花花卉紋瓶

清·乾隆

高30.5、口徑4.6厘米。

腹部以雙綫分爲八組，每組均繪折枝花朵。底書青花"乾隆年製"篆書款。

現藏上海博物館。

青花纏枝蓮花紋瓶
清·乾隆
高36.9厘米。
腹部繪纏枝蓮紋。底書青花
"大清乾隆年製"篆書款。
現藏上海博物館。

青花折枝花果紋梅瓶

清·乾隆

高32.2、口徑7.1厘米。

瓶肩部飾一周蓮瓣紋，瓶身繪折枝花果紋，脛部飾蕉葉紋。底書青花"大清乾隆年製"篆書款。

現藏南京博物院。

青花折枝花果紋六方瓶（右圖）

清·乾隆

高66.1厘米。

瓶呈六棱形。口沿飾回紋，頸部飾折枝花紋，腹部繪折枝蓮花、石榴、桃和柿子等花果紋，折角處繪如意狀花草紋。底書青花"大清乾隆年製"篆書款。

現藏中國國家博物館。

黃地青花六龍捧壽紋瓶

清·乾隆

高57、口寬12.4厘米。

器爲六棱形，瓶身繪六龍捧壽圖。底書青花"大清乾隆年製"篆書款。

現藏南京博物院。

青花纏枝蓮紋貫耳扁瓶

清·乾隆

高36.2厘米。

瓶頸部置對稱貫耳。瓶身主題紋飾爲纏枝番蓮紋。底書青花"大清乾隆年製"篆書款。

現藏中國國家博物館。

青花暗八仙穿帶瓶

清·乾隆

高25.2、口徑11厘米。

頸部飾蕉葉紋，腹部滿飾海水紋。海水中爲暗八仙紋。

現藏首都博物館。

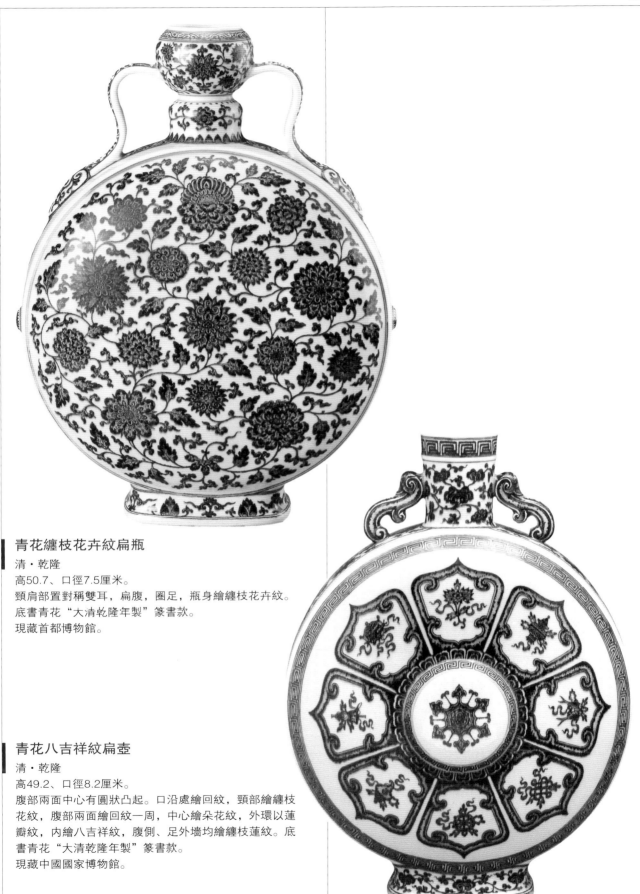

青花纏枝花卉紋扁瓶

清·乾隆

高50.7、口徑7.5厘米。

頸肩部置對稱雙耳，扁腹，圈足，瓶身繪纏枝花卉紋。
底書青花"大清乾隆年製"篆書款。
現藏首都博物館。

青花八吉祥紋扁壺

清·乾隆

高49.2、口徑8.2厘米。

腹部兩面中心有圓狀凸起。口沿處繪回紋，頸部繪纏枝
花紋，腹部兩面繪回紋一周，中心繪朵花紋，外環以蓮
瓣紋，內繪八吉祥紋，腹側、足外墻均繪纏枝蓮紋。底
書青花"大清乾隆年製"篆書款。
現藏中國國家博物館。

青花海水桃紋龍耳扁瓶

清·乾隆

高49.4、口徑8厘米。

瓶身繪桃樹和海水，寓意"壽山福海"。

底書青花"大清乾隆年製"篆書款。

現藏上海博物館。

青花雲龍紋五孔扁瓶

清·乾隆

高29.2、中間孔口徑7厘米。

腹部呈六方形，上有五孔，喇叭形口，附兩耳銜活環。

瓶身飾雲龍戲珠紋。底書青花"大清乾隆年製"篆書款。

現藏臺北故宮博物院。

青花纏枝蓮托八寶紋鋪耳尊

清・乾隆

高50厘米。

瓶肩部堆貼對稱鋪首銜環。紋飾自上而下依次爲江牙海水紋、纏枝蓮花紋、花卉紋，如意雲頭紋、纏枝蓮托八寶紋、江牙海水紋和變體蓮瓣紋。底書青花"大清乾隆年製"篆書款。

現藏中國國家博物館。

青花折枝花果紋執壺

清·乾隆

高37厘米。

瓶有流，如意雲連接流與瓶頸，一側爲
反 "S" 形執手。瓶身飾折枝花果紋。
現藏南京博物院。

青花八寶紋盉式壺

清·乾隆

高21、口徑12.3厘米。

仿青銅器造型。器腹繪折枝蓮及八寶紋。

底書青花"大清乾隆年製"篆書款。

現藏天津博物館。

青花海水紋高足盤

清·乾隆

高18.5、口徑22.5厘米。

盤外壁繪一周蔓草紋，足部繪海水龍紋。

底書青花"大清乾隆年製"篆書款。

現藏首都博物館。

淡黄地青花折枝花卉紋折沿碗

清·乾隆

高8.4、口徑25.9厘米。

碗折沿繪朵花紋和蔓草紋。內、外壁飾折枝花卉紋，內底心及內壁繪石竹花、牡丹花、茶花、菊花和荷花等。外壁折沿下和圈足分別有一條孔雀綠釉青花連續回紋、捲草紋裝飾帶。底書青花"大清乾隆年製"篆書款。現藏南京博物院。

淡黄地青花折枝花卉紋折沿碗內壁

青花勾蓮紋燭臺

清·乾隆

高67厘米。

燭臺器座有唐英題款"養心殿總監造　欽差督理江南淮宿海三關兼管江西陶政九江關稅務內務府員外郎仍管佐領加五級瀋陽唐英敬製　獻東壩天仙聖母案前永遠供奉　乾隆六年春月穀旦"，乾隆六年爲公元1741年。

現藏英國倫敦維多利亞和阿爾伯特國立博物院。

青花雲鶴紋爵盤

清·乾隆

高13.4厘米。

爵口沿下及盤沿繪錦紋一周，爵身及盤外壁繪捲草紋，盤內壁和爵外壁繪雲鶴紋。底書青花"乾隆年製"篆書款。

現藏江西省景德鎮陶瓷歷史博物館。

豆青釉青花團龍紋雙耳罐

清·乾隆

高30.6、口徑23.3厘米。

腹上部置對稱描金龍形耳。通體施豆青色釉，腹部四開光，開光內繪團龍紋。底書青花"大清乾隆年製"篆書款。

現藏天津博物館。

清（公元一六四四年至公元一九一一年）

青花龍鳳紋雙聯罐

清・乾隆

高22.1、口徑10.2厘米。

罐形如連體雙魚，外繪青花龍鳳紋。
底書青花“大清乾隆年製”篆書款。
現藏上海博物館。

青花描金蝴蝶三犧尊

清・乾隆

高14.3厘米。

尊上部爲蒜頭形，下部爲馬蹄形，肩部飾三個羊首。上部和腹部均繪纏枝寶相花和花蝶紋，紋飾描金。底書青花“乾隆年製”篆書款。
現藏故宮博物院。

青花西洋仕女圖盤

清·乾隆

高4、口徑34厘米。

腹部飾帶狀鬱金香紋，内底繪西洋仕女圖。

現藏江西省博物館。

青花經文蓋鉢

清·乾隆

高13.7、口徑9.1厘米。

蓋面繪羅漢圖，外壁通飾羅漢圖和《般若波羅蜜多心經》經文，落款爲"乾隆丁巳年冬月敬獻"，乾隆丁巳年爲乾隆二年即公元1737年。

現藏北京藝術博物館。

青花纏枝蓮花紋花囊

清·乾隆

高10.7、口徑11.1厘米。

肩塑雙繫。器外滿繪青花紋飾，頸部爲一周蕉葉紋，頸肩飾捲雲紋，腹部主題紋樣爲纏枝蓮紋。底書青花"大清乾隆年製"篆書款。

現藏上海博物館。

青花胭脂紅彩雲龍紋瓶

清·乾隆

高30.8、口徑8.7厘米。

瓶身紋飾爲青花繪海水祥雲紋及胭脂紅彩繪九龍戲珠
紋。底書青花"大清乾隆年製"篆書款。

現藏中國國家博物館。

清（公元一六四四年至公元一九一一年）

青花海水紅彩雲龍紋盤

清·乾隆

高8、口徑47.8厘米。

紋樣以青花飾流雲海水，以礬紅彩飾龍紋。盤內心爲一
正面龍紋，內、外壁飾行龍。底書青花
“大清乾隆年製”篆書款。
現藏南京博物院。

青花海水紅彩雲龍紋盤內壁

青花釉裏紅雲龍紋天球瓶

清·乾隆

高53、口徑12.6厘米。

口沿下及肩部繪錦紋，頸部和腹部滿飾雲龍紋。

底書青花"大清乾隆年製"篆書款。

現藏首都博物館。

清（公元一六四四年至公元一九一一年）

釉裏紅團龍紋葫蘆瓶

清·乾隆

高30厘米。

上、下腹部繪團龍紋，束腰部繪回紋及變形蓮瓣紋，近足部飾變形蓮瓣紋一周。底書青花"大清乾隆年製"篆書款。

現藏北京藝術博物館。

釉裏紅折枝花果紋葫蘆瓶

清·乾隆

高31.2、口徑4.2厘米。

瓶呈葫蘆形。主題紋飾爲折枝花果紋和蝙蝠紋，輔以如意雲紋、回紋和變體花瓣紋等。底書青花"大清乾隆年製"篆書款。

現藏中國國家博物館。

釉裏紅雲龍紋玉壺春瓶

清·乾隆

高30.8、口徑8.8厘米。

瓶頸部飾蕉葉紋，肩部飾纏枝靈芝紋和如意雲頭紋，腹
部飾雲龍紋，脛部飾蓮瓣紋，足牆飾折枝花紋。底書青
花"大清乾隆年製"篆書款。

現藏中國國家博物館。

黃地釉裏紅花蝶紋玉壺春瓶

清·乾隆

高35厘米。

頸部繪蕉葉、纏枝花、如意雲頭三層紋飾，腹部飾花
卉、飛蝶，近底繪一周變形蓮瓣紋。

現藏故宮博物院。

釉裏紅芍藥紋賞瓶

清·乾隆

高28、口徑9.1厘米。

瓶身滿繪芍藥紋。底書青花
"大清乾隆年製"篆書款。
現藏南京博物院。

鬥彩描金進寶圖雙螭耳瓶

清·乾隆

高71.5、口徑23.5厘米。

頸部繪吉祥物并置雙螭耳，腹部繪進寶圖。底書青花
　"大清乾隆年製"篆書款。

現藏故宮博物院。

鬥彩龍鳳穿花紋梅瓶

清·乾隆

高43.6厘米。

腹部繪龍鳳穿花紋，襯以變形葉紋。

現藏故宮博物院。

鬥彩花卉紋甘露瓶

清·乾隆

高21、口徑5.9厘米。

瓶身紋飾自上而下依次爲如意雲紋、圓圈紋、捲雲紋、朵花紋、波綫朵花紋、菱形朵花紋、回紋、如意雲紋、地涌金蓮紋、蓮瓣紋、捲草紋和西番蓮紋。底書青花"大清乾隆年製"篆書款。

現藏南京博物院。

鬥彩勾蓮紋螭耳扁瓶

清·乾隆

高31.8、口徑5.9厘米。

肩置雙螭耳。腹兩側有凸起的團花裝飾，瓶身滿繪纏枝花卉紋。底書青花"大清乾隆年製"篆書款。

現藏故宮博物院。

鬥彩農耕圖扁瓶

清·乾隆

高57.1、口徑10.6厘米。

頸部對置兩個透雕龍形耳。腹部開光內繪農耕圖。

現藏天津博物館。

鬥彩八寶團龍紋蓋罐

清・乾隆

高21.2、口徑6.6厘米。

腹部主題紋飾爲五組團龍紋。

現藏故宮博物院。

鬥彩綠龍紋蓋罐

清・乾隆

高21.2、口徑6.3厘米。

蓋面繪團龍紋，肩部繪連續螺絲紋。折沿
與罐的肩部繪八吉祥紋。腹部飾趕珠龍
紋，脛部繪蓮瓣紋。底書“大清乾隆年
製”篆書款。

現藏南京博物院。

清（公元一六四四年至公元一九一一年）

鬥彩夔鳳花卉紋盤

清·乾隆

高3.9、口徑19.1厘米。

盤內心繪三隻不同色彩的夔鳳，外壁繪四組夔鳳花卉紋。底書青花"大清乾隆年製"篆書款。

現藏南京博物院。

鬥彩暗八仙紋束腰盤

清·乾隆

高5.4、口徑22厘米。

盤內心飾月華錦紋，有蓮葉、桃子和蓮花相擁。內壁環飾暗八仙紋，外壁飾折枝花卉紋。底書青花"大清乾隆年製"篆書款。

現藏南京博物院。

鬥彩八寶紋盤

清·乾隆

高8.5、口徑50.5厘米。

盤内繪雙鳳穿花、纏枝牡丹、祥雲托八寶等紋飾。

底書青花"大清乾隆年製"篆書款。

現藏首都博物館。

鬥彩鴛鴦戲蓮紋臥足碗

清·乾隆

高7.5、口徑16.2厘米。

碗內沿飾青花梵文一周，外沿飾趕珠龍紋一周，腹部繪鴛鴦戲蓮紋。底書青花"大清乾隆年製"篆書款。現藏故宮博物院。

鬥彩螭龍穿花紋僧帽壺

清·乾隆

高26.7、口徑14厘米。

一側出流，一側置曲柄。口外及流上繪纏枝菊花紋，頸腹部繪螭龍穿花圖，柄繪朵花、磬、鈴鐺、瓔珞紋等，足外繪捲草紋一周，蓋面繪龍穿花紋。現藏故宮博物院。

藍地鬥彩蓮池圖鏤空綉墩

清·乾隆

高52.9、面徑31厘米。

器呈鼓形。器身有四個雲頭形鏤空裝飾，周圍飾蓮池圖。
現藏故宮博物院。

粉彩錦上添花海棠式瓶

清·乾隆

高19.2厘米。

瓶呈海棠花式，頸部飾雙夔龍耳。全器紫紅地上剔捲草紋，頸肩彩繪如意花葉紋，腹部爲蝠、"壽"紋及交纏葉紋。底書青花"大清乾隆年製"篆書款。

現藏臺北故宮博物院。

粉彩詩意瓶

清·乾隆

高19.2厘米。

瓶作半面扁方圓瓶形，附變形鳳耳。外壁通體施黃釉，繪如意花紋及五蝙蝠，腹部開光內墨書乾隆御製詩一首。底橫書青花"大清乾隆年製"篆書款。

現藏臺北故宮博物院。

粉彩嬰戲圖環耳瓶

清·乾隆

高54.1、口徑11.5厘米。
頸部置銜環螭耳，繪番蓮、
牡丹花紋，腹部繪嬰戲圖，
脛部繪蓮瓣紋 ，足部飾番
蓮紋。底書青花"大清乾隆
年製"篆書款。
現藏上海博物館。

清（公元一六四四年至公元一九一一年）

粉彩鬥彩花卉詩句雙耳瓶

清·乾隆

高36.5、口徑11.1厘米。

頸部兩側各凸雕一紅蝠銜玉磬式耳。頸部與脛部繪纏枝花，腹部為八面瓜棱形，其中四面繪花卉，另四面各書乾隆御製詩一首。底書青花"大清乾隆年製"篆書款。現藏故宮博物院。

粉彩花蝶紋腰圓瓶

清·乾隆

高13.6厘米。

瓶頸部飾折枝花及結環花卉紋一道，腹部繪蝴蝶三對及折枝花卉，底邊飾蓮瓣紋一周，足邊繪朵花一周。底書青花"大清乾隆年製"篆書款。現藏臺北故宮博物院。

粉彩夔鳳穿花紋獸耳銜環瓶

清·乾隆

高27.5、口徑9.8厘米。

肩兩側塑貼獸耳銜環。外壁繪夔鳳穿花紋。底書青花
"大清乾隆年製"篆書款。

現藏故宮博物院。

粉彩花果紋帶蓋梅瓶

清·乾隆

高32.5、口徑5厘米。

外壁繪折枝花果紋。底書青花"大清乾隆年製"篆書款。

現藏故宮博物院。

粉彩花卉紋觀音瓶

清·乾隆

高21、口徑5厘米。

瓶通身藍釉，繪捲草紋錦地，頸部飾一周蓮花紋，腹部飾一朵銀蓮花及菊花葉紋。底書藍料"大清乾隆年製"篆書款。

現藏臺北故宮博物院。

粉彩花卉紋膽瓶

清·乾隆
高20.6、口徑3.6厘米。
瓶頸、腹部繪纏枝菊花紋。
現藏臺北故宮博物院。

粉彩仙鶴紋膽瓶

清·乾隆
高20.8、口徑3.5厘米。
器面繪山石、海水、梅花及靈芝，五隻仙鶴立于山石間，或飲水，或展翅，或鳴叫。底書藍料"乾隆年製"篆書款。
現藏臺北故宮博物院。

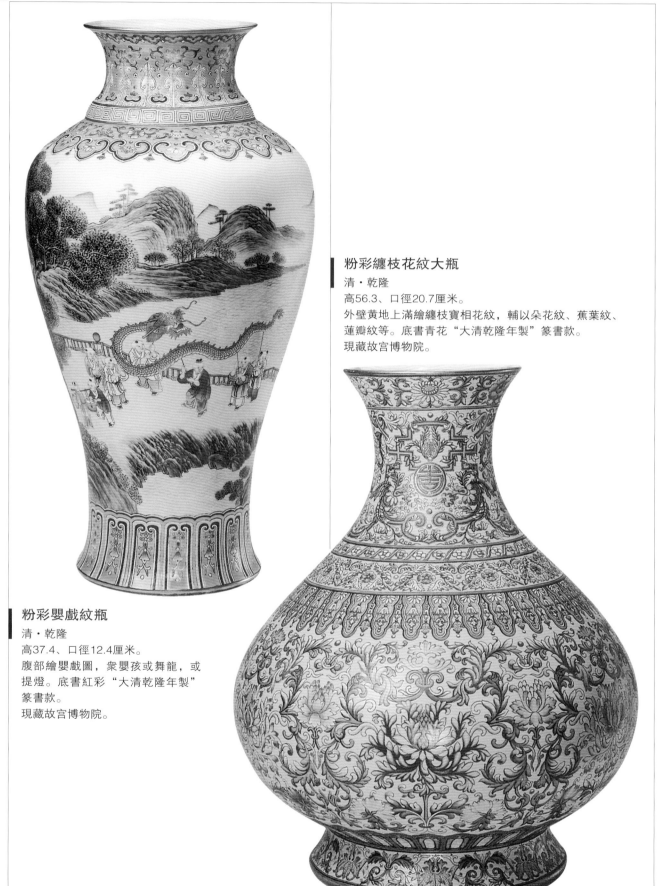

粉彩纏枝花紋大瓶

清·乾隆

高56.3、口徑20.7厘米。

外壁黃地上滿繪纏枝寶相花紋，輔以朵花紋、蕉葉紋、蓮瓣紋等。底書青花“大清乾隆年製”篆書款。

現藏故宮博物院。

粉彩嬰戲紋瓶

清·乾隆

高37.4、口徑12.4厘米。

腹部繪嬰戲圖，眾嬰孩或舞龍，或提燈。底書紅彩“大清乾隆年製”篆書款。

現藏故宮博物院。

粉彩鏤空花卉葫蘆形轉心瓶

清・乾隆

高36.5、口徑2.5厘米。

葫蘆瓶下有一花口盤座，內裝
套瓶，可自由旋轉。上部四個
圓形開光內描金彩"蝠"、
"壽"字，下部四個鏤空開光
飾纏枝花卉紋。底書青花"大
清乾隆年製"篆書款。
現藏故宮博物院。

粉彩開光鏤空花卉紋象耳轉心瓶（右圖）

清・乾隆

高40.2、口徑19.2厘米。

頸兩側各塑貼一象耳，瓶內套一小瓶。腹部四個開光鏤
雕四季花卉，内部小瓶上繪嬰戲圖。底書青花"大清乾
隆年製"篆書款。

現藏故宫博物院。

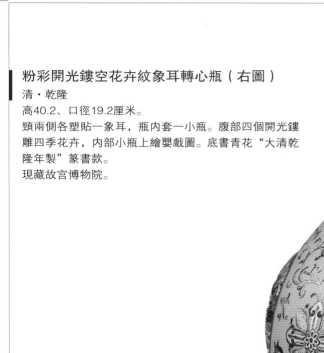

粉彩鏤空花果紋六方轉心瓶

清・乾隆

高40.6、口徑11.4厘米。

瓶身呈六方形。頸繪雲頭紋、花卉紋和倒蕉葉紋，腹部
方形鏤空開光内雕刻花果紋。底書青花"大清乾隆年
製"篆書款。

現藏首都博物館。

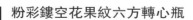

粉彩開光鏤空轉心瓶

清·乾隆

高73、口徑31厘米。

頸、腹、底座三部分可自由拆卸。腹部鏤空開光可窺見
內瓶。瓶身繪蟠螭紋，底書青花"乾隆年製"篆書款。
現藏故宮博物院。

清（公元一六四四年至公元一九一一年）

粉彩花卉紋轉心瓶

清·乾隆

高19.5、口徑6.1厘米。

瓶身飾蓮花、菊花、蕉葉和朵花等紋飾。瓶頸、腹部鏤刻八卦紋，從鏤空處可看見內瓶上繪青花番蓮紋。底書青花"大清乾隆年製"篆書款。

現藏臺北故宮博物院。

粉彩開光山水紋鏤空蓋瓶

清·乾隆

高19.2、口徑7.5厘米。

瓶口內斂，附二節塔式鏤空瓶蓋。腹部開光內繪山水人物圖。底書青花"大清乾隆年製"篆書款。

現藏故宮博物院。

粉彩黃地番蓮紋瓶

清·乾隆

高14.2、口徑3.9厘米。

瓶頸部錦地上繪磬紋、"壽"字紋和瓔珞紋，黃地上飾番蓮朵花紋。腹部主題紋飾爲四組藍白相間的并蒂蓮花。圈足畫朵花一周。底書青花"大清乾隆年製"篆書款。

現藏臺北故宮博物院。

粉彩開光花卉紋瓶

清·乾隆

高18.6、口徑4.2厘米。

瓶腹部開光內繪芍藥、雛菊、石榴、蜀葵、芙蓉、月季、牡丹、茶花和野菊等花卉圖案。底書青花"乾隆年製"楷書款。

現藏臺北故宮博物院。

粉彩八仙圖八角瓶

清・乾隆

高43.8、口徑13.6厘米。

腹部八面開光，開光內繪八仙過海圖，其餘部分紋飾繪錦地，綴以壽字、蓮花、螭紋、蝙蝠、磬等圖案，口部至底繪八周回紋。底書紅彩"大清乾隆年製"篆書款。

現藏上海博物館。

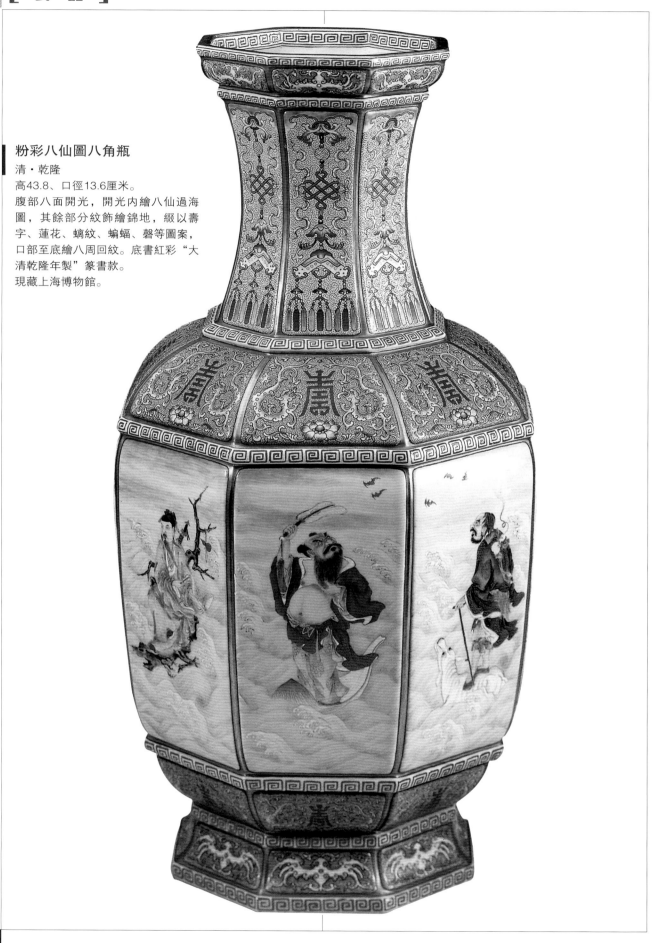

粉彩描金開光花鳥圖八方瓶

清·乾隆

高32.8厘米。

腹部四面開光內繪鴛鴦蓮花圖、月季雀鳥圖、文竹螳螂圖及牡丹菊花圖。底書紅彩"大清乾隆年製"篆書款。現藏故宮博物院。

粉彩開光山水詩句瓶

清·乾隆

高37.5、口邊長10.1厘米。

腹壁四面開光，兩面繪山水樓臺圖，另兩面題篆書乾隆詩句。底書紅彩"大清乾隆年製"篆書款。現藏故宮博物院。

粉彩山水紋方瓶

清・乾隆

高22.6厘米。

瓶頸、肩、腹部各有四面開光。頸部及腹部開光內各繪春夏秋冬四景山水人物畫，肩部開光內繪花葉交叉圖案。底書青花"大清乾隆年製"篆書款。

現藏臺北故宮博物院。

粉彩雲鳳象耳瓶
清·乾隆
高48.5、口徑17.7厘米。
頸部兩側置象首耳，腹部藍地繪海水雲鳳紋。底書紅彩"大清乾隆年製"篆書款。
現藏故宮博物院。

粉彩折枝花卉紋葫蘆瓶
清·乾隆
高36.5厘米。
瓶呈葫蘆式。外壁通繪折枝花卉紋和雲氣紋。底書紅彩"大清乾隆年製"篆書款。
現藏故宮博物院。

清（公元一六四四年至公元一九一一年）

粉彩百花圖葫蘆瓶

清·乾隆

高29.8、口徑5.4厘米。

瓶呈葫蘆形，通身粉彩繪百花圖。底書紅彩"大清乾隆年製"篆書款。

現藏中國國家博物館。

粉彩如意耳葫蘆瓶（右圖）

清·乾隆

高21.0、口徑2.6、足徑7.2厘米。

瓶身兩側各置一如意耳，下垂飄帶。上腹部繪寶相花，束腰處繪回紋及如意雲頭紋一周，下腹部繪寶相花及蝙蝠紋。足外壁有描金捲草紋。足內書紅彩"大清乾隆年製"篆書款。

現藏故宮博物院。

粉彩描金凸雕靈桃瓶

清·乾隆

高21.3、口徑5.2厘米。

內壁施松石綠釉，外壁以醬色爲地，金彩飾纏枝菊紋。頸部凸雕五桃和靈芝。底刻"大清乾隆年製"篆書款。

現藏故宮博物院。

粉彩描金堆貼蟠螭紋瓶

清・乾隆

高29.5厘米。

通體以淡青釉爲地，堆貼四條不同顏色
的螭龍。龍身上用金彩繪鱗紋。

現藏故宮博物院。

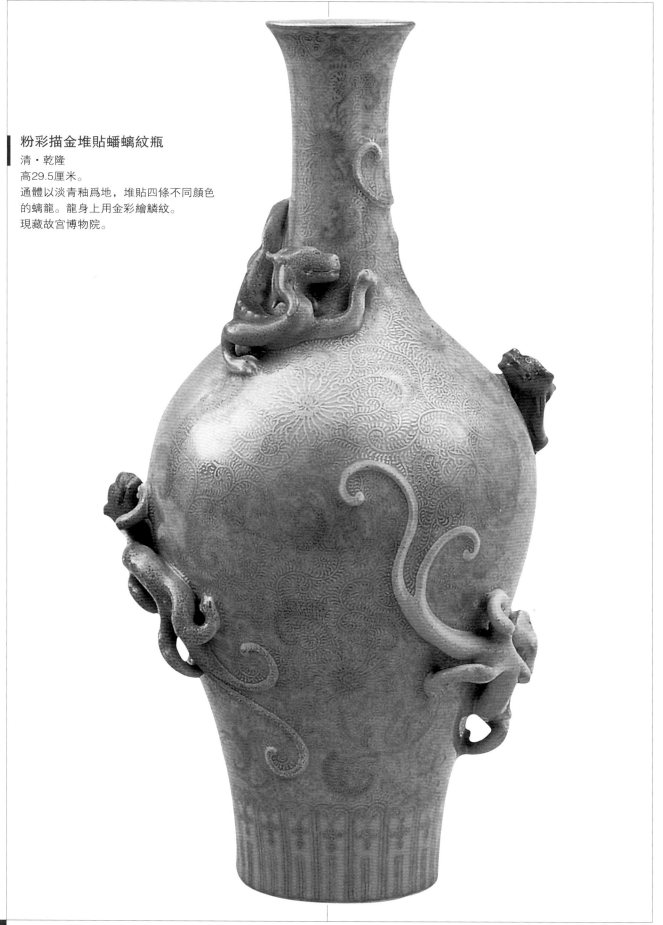

粉彩八寶紋賁巴瓶

清·乾隆

高20厘米。

器仿西藏地區寺院內的供器。壺身飾八寶圖案。

底書紅彩"大清乾隆年製"篆書款。

現藏西藏博物館。

黄地粉彩番蓮八吉祥紋藏草瓶

清·乾隆

高25.7、口徑2.9厘米。

瓶似寶塔，通體飾黄地粉彩八吉祥、番蓮和變體蓮瓣紋
等。底書"大清乾隆年製"篆書款。

現藏中國國家博物館。

粉彩山水人物紋三孔扁瓶

清·乾隆

高28.5、中口徑3.2厘米。

三直口，扁圓腹，臥足。腹部兩面開光，開光内繪山水
仕女圖。底書紅彩"大清乾隆年製"篆書款。

現藏故宮博物院。

豆青地開光粉彩山水紋海棠式瓶

清·乾隆

高36.3、口徑20厘米。

瓶呈海棠式。腹部四開光內粉彩繪山水圖。底書青花
"大清乾隆年製"篆書款。

現藏中國國家博物館。

豆青地開光粉彩山水紋海棠式瓶另一側面

粉彩錦上添花盤口雙圓瓶

清·乾隆

高19.7、口徑4.1厘米。

雙瓶外表接合，內部相通。雙圓各施紅與藍釉，交叉替換爲地，上剔捲草紋，繪折枝花卉紋。開光內各繪梅花、靈芝和喜鵲。底書青花"大清乾隆年製"篆書款。現藏臺北故宫博物院。

粉彩菊花紋燈籠尊（右圖）

清·乾隆

高41.7、口徑12厘米。

外壁粉彩繪各色菊花紋，旁墨彩書乾隆御製詩一首。底書礬紅彩"大清乾隆年製"篆書款。

現藏中國國家博物館。

粉彩靈芝花卉紋尊

清·乾隆

高37.5、口徑14.6厘米。

尊頸部飾蕉葉紋，肩部飾番蓮紋，腹部主題紋飾爲靈芝及蓮花四組。底書青花"大清乾隆年製"篆書款。

現藏臺北故宮博物院。

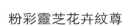

粉彩描金海晏河清圖尊

清·乾隆

高31.3、口徑25.1厘米。

此器是爲圓明園海晏堂燒製的。以貼塑海燕諧音海晏，以霽青釉代表河清，寓意"海晏河清，四海承平"。底書青花"大清乾隆年製"篆書款。

現藏中國國家博物館。

粉彩花卉紋包袱尊

清·乾隆

高29.1、口徑19.8厘米。

器身飾綠地粉彩紋飾，口沿繪如意雲頭紋，頸部繪纏枝
番蓮紋，肩部繪如意雲頭紋及變體蓮瓣紋，腹部繪纏枝
牡丹及包袱巾紋。底書紅彩"大清乾隆年製"篆書款。
現藏中國國家博物館。

粉彩山水詩意尊

清·乾隆

高24.8、口徑12.2厘米。

瓶身錦地上飾花卉紋，開光內繪山水圖。
底書藍料"大清乾隆年製"篆書款。
現藏臺北故宮博物院。

粉彩百鹿紋雙耳尊

清·乾隆

高43.5厘米。

肩部置螭形雙耳。器身山景中畫數頭梅花鹿，形態各異，以百鹿諧音"百祿"。底書青花"大清乾隆年製"篆書款。

現藏上海博物館。

粉彩開光山水人物紋茶壺

清·乾隆

高15.9、口邊長6厘米。

壺身四面開光，開光内分別繪山水樓閣及花卉圖。

底書青花“大清乾隆年製”篆書款。

現藏故宮博物院。

粉彩開光烹茶圖茶壺

清·乾隆

高12.6、口徑5.5厘米。

壺身一面繪烹茶圖，一面書乾隆帝御製詩一

首。底書青花“大清乾隆年製”篆書款。

現藏故宮博物院。

粉彩八寶勾蓮紋多穆壺

清·乾隆

高47、口徑9.7厘米。

器身繪纏枝花及八寶圖案。底書青花

"大清乾隆年製"篆書款。

現藏故宮博物院。

粉彩葫蘆花干支筆筒

清·乾隆

高12.8、口徑10.7厘米。

筆筒上層可以轉動，上下層的天干、地支可隨意組合。

底書青花"大清乾隆年製"篆書款。

現藏故宮博物院。

粉彩雲龍紋碗

清·乾隆

高6.3、口徑15.2厘米。

碗外壁繪四龍游戲于波濤流雲間。底書藍料"乾隆年製"楷書款。

現藏臺北故宮博物院。

粉彩百花紋碗

清·乾隆

高8.1、口徑18.5厘米。

腹外壁繪各式花卉。底書青花"大清乾隆年製"篆書款。

現藏南京博物院。

粉彩花卉紋海棠式杯盤

清·乾隆

杯高5、盤高2.8厘米。

杯盤均作四瓣海棠花式。杯外壁爲黄釉捲草紋錦地間飾
四開光，開光内繪四季山水圖。盤底書青花"乾隆年
製"篆書款。

現藏臺北故宮博物院。

粉彩古銅紋帶托爵

清·乾隆

通高13.4、盤口徑11.6厘米。

爵外壁上繪饕餮紋。托盤上凸起一山形支柱。
底書青花"乾隆年製"篆書款。

現藏故宮博物院。

粉彩萬福寶相紋葵花式盆奩

清·乾隆

通高10.6厘米。

盆、托沿面飾葵綠地朵花紋，側沿繪紅地金彩圓圈紋裝飾帶。 盆腹部飾萬福寶相紋，寶相花爲西番蓮形象，花蕊中吐出一枚靈芝。

現藏南京博物院。

黃地粉彩三多連綿紋海棠式盆奩

清·乾隆

通高9.7厘米。

盆、托沿面飾粉紅地纏枝花卉紋裝飾帶。腹部繪蝙蝠、桃子、荷花蓮蓬組成的三多紋。

現藏南京博物院。

粉彩百花紋花觚

清・乾隆

高31.3、口徑17.2厘米。
喇叭口，束頸，腹部凸起，覆
盆式高足。紋飾以牡丹爲主，
間以其他花卉紋。頸部橫書描金
"大清乾隆年製"篆書款。
現藏遼寧省博物館。

粉彩蕉葉紋花觚

清·乾隆
高22、口徑14厘米。
器型仿青銅器。黃釉地上彩繪蕉葉紋。底書青花"乾隆年製"篆書款。
現藏臺北故宮博物院。

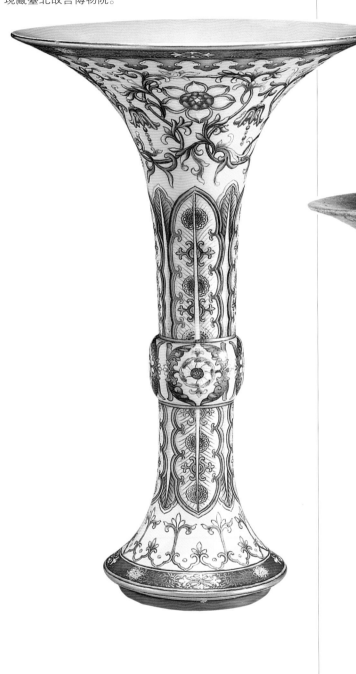

粉彩仿古銅彩出戟花觚 (右圖)

清·乾隆
高27.7、口徑17.5厘米。
腹部凸印仰、覆蕉葉紋，中爲夔龍紋，紋飾加金彩并繪綠銹斑。底印陽文"大清乾隆年製"篆書款。
現藏故宮博物院。

珐琅彩花卉紋橄欖瓶

清·乾隆

高17.7、口徑3.9厘米。

器面繪園中花卉，有芍藥及野菊等。肩部墨書詩句。底書藍料"乾隆年製"楷書款。

現藏臺北故宮博物院。

珐琅彩花卉瓶

清·乾隆

高20.4、口徑4.8厘米。

腹部繪山石花卉圖，肩部題詩句"夕吹撩寒馥，晨曦透暖光"。底書"乾隆年製"楷書款。

現藏故宮博物院。

珐琅彩竹菊鹌鹑圖瓶

清·乾隆

高19.1、口徑5.5厘米。

瓶身繪湖石、竹菊、花卉及鵪鶉等紋
飾。底書藍彩"乾隆年製"篆書款。
現藏上海博物館。

珐琅彩雉雞芙蓉紋玉壺春瓶（右圖）

清·乾隆

高16.3、口徑4厘米。

頸部以藍彩繪蕉葉紋，腹部繪山石雉雞圖。

底書褐彩方框"乾隆年製"款。

現藏天津博物館。

珐琅彩胭脂紫軋花地寶相花瓶

清·乾隆

高25、口徑6.7厘米。

腹部三組黃地開光內繪寶相花紋。底書紅彩

"大清乾隆年製"楷書款。

現藏天津博物館。

珐琅彩描金花卉纹瓶

清·乾隆

高20.5、口径5.1厘米。

腹部绘四组西洋式团花纹，团花间隔处绘莲花璎珞纹和勾云纹。底书金彩"大清乾隆年製"篆书款。

现藏故宫博物院。

珐琅彩番莲纹瓶

清·乾隆

高20.6、口径5厘米。

瓶施米黄釉，口沿和足沿饰捲草纹，颈饰如意及璎珞纹，颈肩部饰落花流水及如意花纹一周。腹部主题纹饰为四组缠枝番莲纹，腹底边饰仰莲瓣纹。底书金彩"大清乾隆年製"篆书款。

现藏台北故宫博物院。

珐琅彩錦地描金花卉紋蒜頭瓶

清·乾隆

高18、口徑2.6厘米。

通體以金彩鳳尾錦爲地，以料彩加金繪各式纏枝花紋。底書青花"乾隆年製"篆書款。現藏故宮博物院。

珐琅彩開光花卉紋蒜頭瓶（右圖）

清·乾隆

高18.3、口徑2.9厘米。

瓶身通體金彩捲草紋錦地，口沿下繪如意雲紋，頸間繪
蓮紋。腹部四開光，開光內繪蓮花紋。底書藍料"乾隆
年製"篆書款。

現藏臺北故宮博物院。

珐琅彩龍鳳紋雙聯瓶

清·乾隆

高14.1厘米。

頸及脛部分別繪纏枝花卉和海水紋一周，腹部兩面繪龍
鳳紋圖案。底書藍料"乾隆年製"楷書款。

現藏上海博物館。

珐琅彩嬰戲紋雙聯瓶

清·乾隆

高21.4厘米。

腹部白地彩繪兩組嬰戲紋。底橫書青花
"大清乾隆年製"篆書款。

現藏故宮博物院。

珐琅彩開光山水圖瓶

清·乾隆

高26、口徑12.1、足徑12.1厘米。

頸部及脛部使用軋道工藝并繪蕉葉紋、如意頭紋、夔龍紋等紋飾，腹部四個開光內繪山水圖和題詩。底書青花"大清乾隆年製"篆書款。

現藏故宮博物院。

珐琅彩西洋人物圖雙耳葫蘆瓶

清·乾隆

高10厘米。

瓶身兩側置綬帶耳。兩面上下腹均開光，上腹開光內繪西洋風景圖，下腹開光內繪西洋婦嬰。底書藍彩"乾隆年製"楷書款。

現藏故宮博物院。

珐琅彩人物紋鼻烟壺

清·乾隆

高6.1厘米。

口沿及底邊施金彩，腹部繪母子嬰戲圖。底書藍彩"乾隆年製"楷書款。

現藏首都博物館。

珐琅彩人物紋盤

清·乾隆

高1.7、口徑13.7厘米。

盤心繪仕女携子圖。底書藍料

"乾隆年製"楷書款。

現藏臺北故宮博物院。

珐琅彩花鳥紋盤

清·乾隆

高1.9、口徑13.5厘米。

盤沿三開光内繪山水人物圖，

盤心繪綬帶鳥立于海棠樹枝上，

一旁繪月季花。底書藍料

"乾隆年製"楷書款。

現藏臺北故宮博物院。

珐琅彩胭脂紅刻花茶壺

清·乾隆

高11.8、口徑6.9厘米。

肩、近足處、流根部、蓋沿飾變形焦葉紋、
捲綫紋和圈紋。底書藍彩"乾隆年製"楷書款。
現藏故宮博物院。

胭脂紅地珐琅彩蓮花紋碗

清·乾隆

高4.3、口徑11.9厘米。

碗外壁繪胭脂紅地珐琅彩蓮花紋。底書青花
"大清乾隆年製"篆書款。
現藏南京博物院。

藍地琺瑯彩蓮塘圖蓋罐

清·乾隆

高34、口徑17.6厘米。

帶蓋，寶珠形鈕。罐身與蓋均繪蓮塘圖，肩部飾瓔珞。

底刻"大清乾隆年製"篆書款。

現藏中國國家博物館。

雕地海水紅彩龍紋蓋盅

清·乾隆

高7.8、口徑11.2厘米。

蓋面、盅的外壁各繪二龍趕珠紋。底書"大清乾隆年製"篆書款。

現藏南京博物院。

紅彩龍紋高足蓋碗

清·乾隆

高21、口徑15.5厘米。

碗蓋和碗外壁均繪二龍趕珠紋。蓋鈕爲鴛鴦。碗蓋內和碗裹中心書紅彩"大清乾隆年製"篆書款。

現藏天津博物館。

紅彩纏枝番蓮紋瓶

清·乾隆

高21、口徑5厘米。

外口沿至足部滿飾纏枝番蓮紋。底書青花"乾隆年製"篆書款。

現藏上海博物館。

胭脂紅彩纏枝螭龍紋瓶

清·乾隆

高37.3、口徑4.8厘米。

頸部繪纏枝蓮紋，肩部有雲肩裝飾，腹部繪螭龍穿蓮花紋，足部飾蓮瓣紋。底書"乾隆年製"款。

現藏上海博物館。

各色釉彩瓶

清·乾隆

高86.4、口徑27.4厘米。
此瓶共十六道紋飾，十五種
釉彩。腹部十二開光，開光內
繪各種吉祥圖，是當時高超製
瓷工藝的集中表現。底書青花
"大清乾隆年製"篆書款。
現藏故宮博物院。

藍釉描金銀桃果紋瓶
清·乾隆
高23.3厘米。
器身藍地，飾描金銀桃果紋。
現藏上海博物館。

灑藍釉描金勾蓮紋斜方瓶

清·乾隆

高23、口徑7厘米。

頸部和腹部繪金彩變形寶相花。底書青花"大清乾隆年製"篆書款。

現藏故宮博物院。

霽藍釉描金方蓋罐

清·乾隆

高30厘米。

器身繪金彩變形寶相花銜如意、磬紋等。底書紅彩"大清乾隆年製"篆書款。

現藏故宮博物院。

霽青釉描金花卉紋七孔花插

清·乾隆

高25.3、中孔口徑5厘米。

器似豆形，面有七個筒狀孔管。表面施霽青釉，描金彩
紋飾。底書青花"大清乾隆年製"篆書款。

現藏臺北故宮博物院。

霁藍釉金彩雙鳳寶磬紋腰圓式盆奩

清·乾隆

通高9.2厘米。

盆奩通體罩霁藍釉，外壁用金彩描繪圖案，沿面繪纏枝花卉紋，側沿飾纏枝捲草紋，腹部飾雙夔鳳銜磬托寶相花紋及雙寶相花紋四組。

現藏南京博物院。

灑金描金花卉紋三繫壺

清·乾隆

高13.5、口徑3厘米。

壺通體施紫金釉，釉面撒金，并描金彩花卉紋。

現藏天津博物館。

白釉凸雕蓮瓣口瓶

清·乾隆

高27.4、口徑9.3厘米。

蓮瓣形口。外壁凸雕花葉和花蕾紋。底刻"大清乾隆年製"篆書款。

現藏故宮博物院。

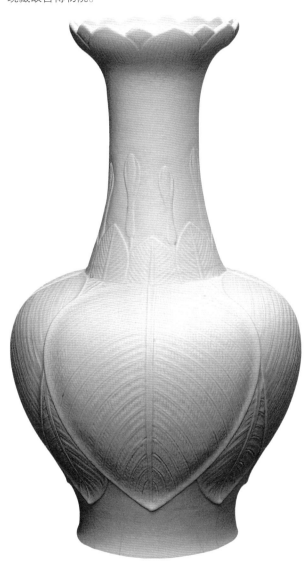

廠官釉描金花卉紋葫蘆形燭臺

清·乾隆

高23.5、口徑4.5厘米。

葫蘆形燭臺上有蓮花形口，中腰套一金彩活環，底接粉青釉承盤，瓶內套一圓柱連接口和承盤。底書青花"大清乾隆年製"篆書款。

現藏故宮博物院。

白釉花果紋三聯瓶

清·乾隆

高25.5、口徑2.7厘米。

瓶有三口，三腹相連。頸部飾蝙蝠，腹部雕花果紋。

底刻"大清乾隆年製"篆書款。

現藏臺北故宮博物院。

白釉印花夔龍紋帶蓋扁尊

清·乾隆

高27.3厘米。

此件器物造型仿青銅器，蓋面、頸部、肩部、腹部和脛部都飾夔龍紋。

現藏南京博物院。

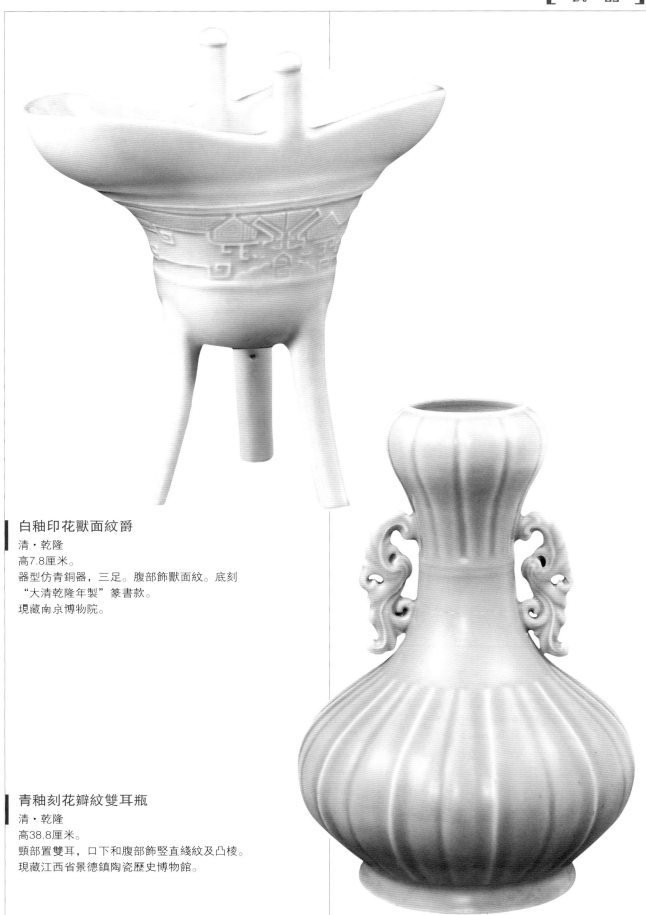

白釉印花獸面紋爵

清·乾隆
高7.8厘米。
器型仿青銅器，三足。腹部飾獸面紋。底刻
"大清乾隆年製"篆書款。
現藏南京博物院。

青釉刻花瓣紋雙耳瓶

清·乾隆
高38.8厘米。
頸部置雙耳，口下和腹部飾豎直綫紋及凸棱。
現藏江西省景德鎮陶瓷歷史博物館。

青釉鏤空纏枝牡丹紋套瓶
清·乾隆
高31.9、口徑4.8、足徑9.7厘米。
內套膽式小瓶。頸部飾蕉葉紋和如意雲頭
紋，腹部爲鏤空纏枝牡丹紋。底書青花
"大清乾隆年製"篆書款。
現藏故宮博物院。

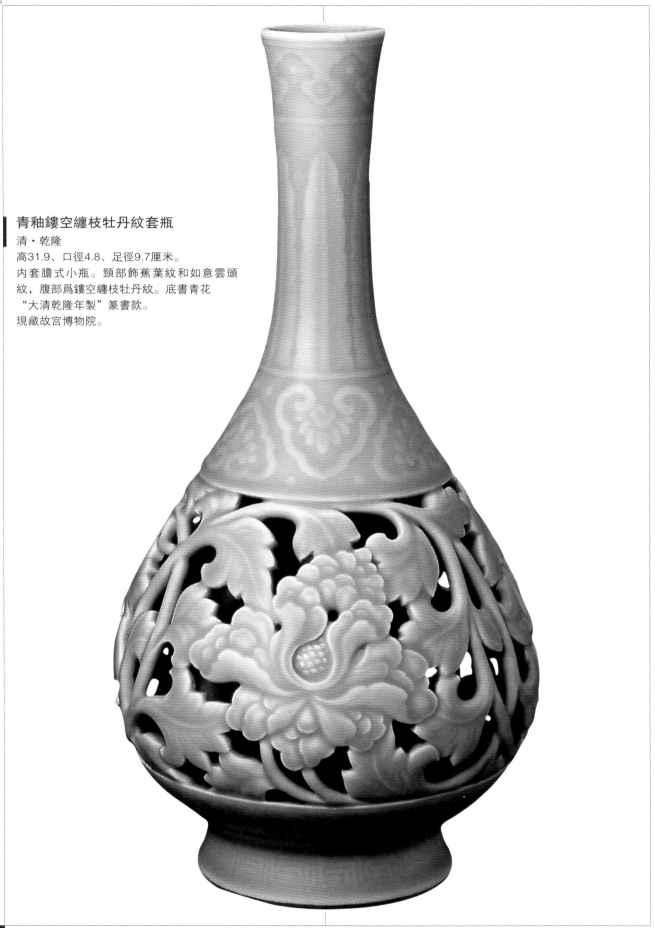

粉青釉鷄形熏

清·乾隆

高22厘米。

熏作雄鷄形，底部可拆卸，有子口與鷄身扣合。

現藏故宮博物院。

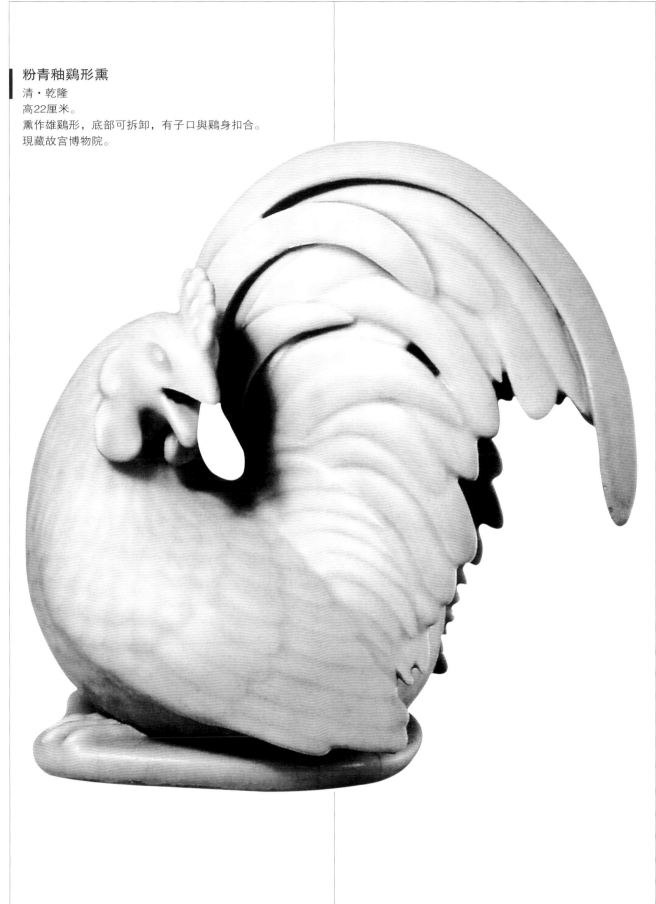

粉青釉暗花夔紋交泰瓶

清·乾隆

高16、口徑6.9厘米。

腹中部鏤雕成仰覆如意頭形，形成上下兩部分相互勾套
扣合，如意頭內有凸起的夔紋裝飾。底書青花"大清乾
隆年製"篆書款。

現藏故宮博物院。

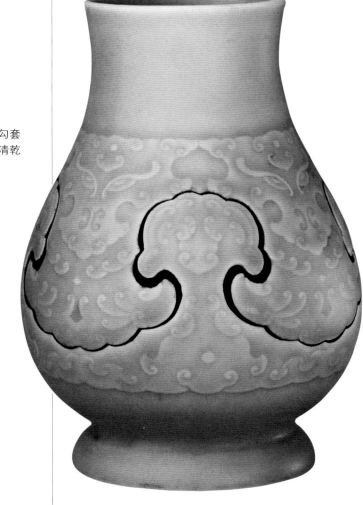

粉青釉靈芝式筆洗

清·乾隆

高8.7、口徑19厘米。

筆洗似靈芝狀，通體施粉青釉。

現藏中國國家博物館。

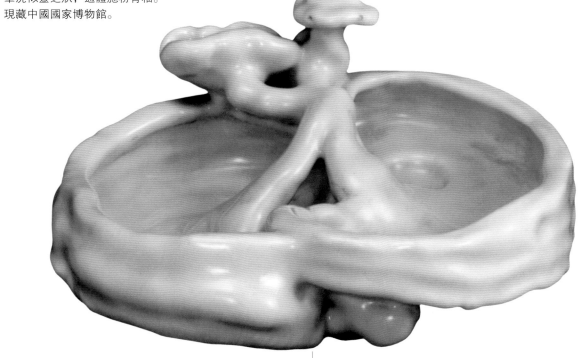

冬青釉描金天鷄酒注

清·乾隆

高18.3厘米。

酒注造型爲天鷄狀，背負一曲柄膽瓶，鷄嘴爲流，以金彩描繪天鷄的羽毛、雙翅及瓶體花紋。

現藏故宮博物院。

清（公元一六四四年至公元一九一一年）

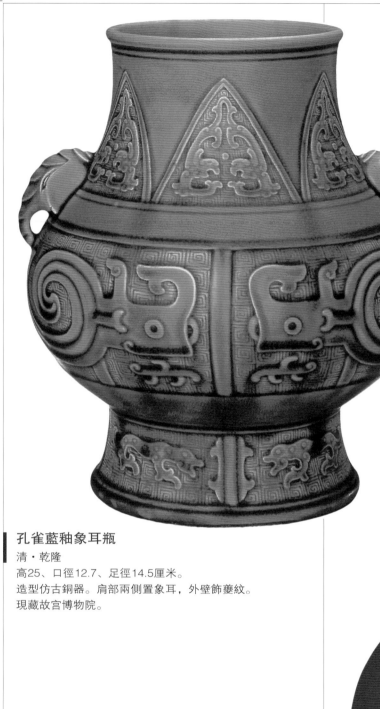

孔雀藍釉象耳瓶

清·乾隆
高25、口徑12.7、足徑14.5厘米。
造型仿古銅器。肩部兩側置象耳，外壁飾夔紋。
現藏故宮博物院。

胭脂紅釉蒜頭瓶（右圖）

清·乾隆
高18.5、口徑2.3厘米。
內壁施松石綠釉，外壁施胭脂紅釉。底書青花
"大清乾隆年製"篆書款。
現藏故宮博物院。

松石綠釉纏枝蓮紋梅瓶

清·乾隆

高30.1厘米。

瓶肩部和近底足部飾變形蓮瓣紋，瓶
身飾纏枝蓮紋，中間穿插飛鳥。底刻
"大清乾隆年製"篆書款。

現藏中國國家博物館。

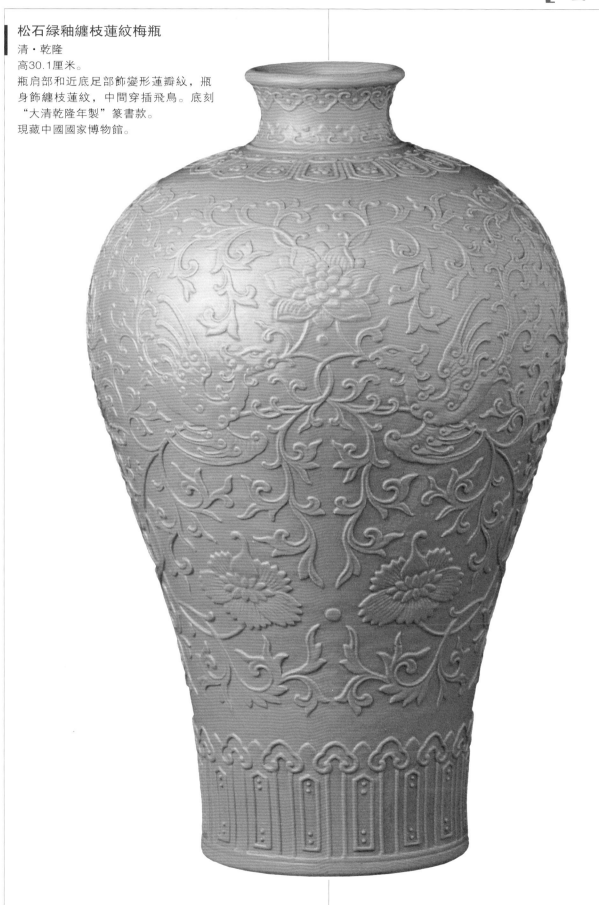

松石綠釉鏤空冠架

清·乾隆

高22.7、口徑4厘米。
球狀頂部鏤空纏枝靈芝
托如意夔龍紋，托座
凸起夔龍紋。底
刻"大清乾隆年
製"篆書款。
現藏故宮博
物院。

松石綠釉夔龍紋洗

清·乾隆

高6.5、口徑29.2厘米。

內外均飾夔龍紋。

現藏北京藝術博物館。

金彩釉纏枝蓮紋蓋盒

清·乾隆

高10、口徑17厘米。

通體刻纏枝蓮紋，上施金彩釉。輔以回紋、朵花紋等。

底刻"大清乾隆年製"篆書款。

現藏西藏博物館。

茶葉末釉大吉瓶（右圖）

清·乾隆

高26.1厘米。

器身呈葫蘆形，頸肩及腹部有對稱彎耳。束腰繪十二蓮瓣。底刻"大清乾隆年製"篆書款。

現藏江西省景德鎮陶瓷歷史博物館。

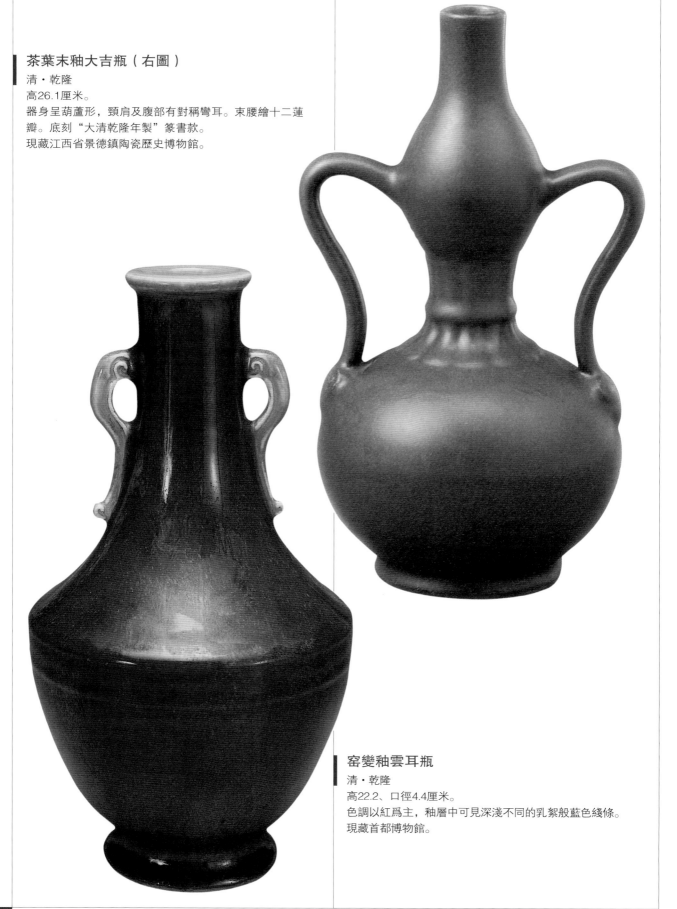

窑變釉雲耳瓶

清·乾隆

高22.2、口徑4.4厘米。

色調以紅爲主，釉層中可見深淺不同的乳絮般藍色綫條。

現藏首都博物館。

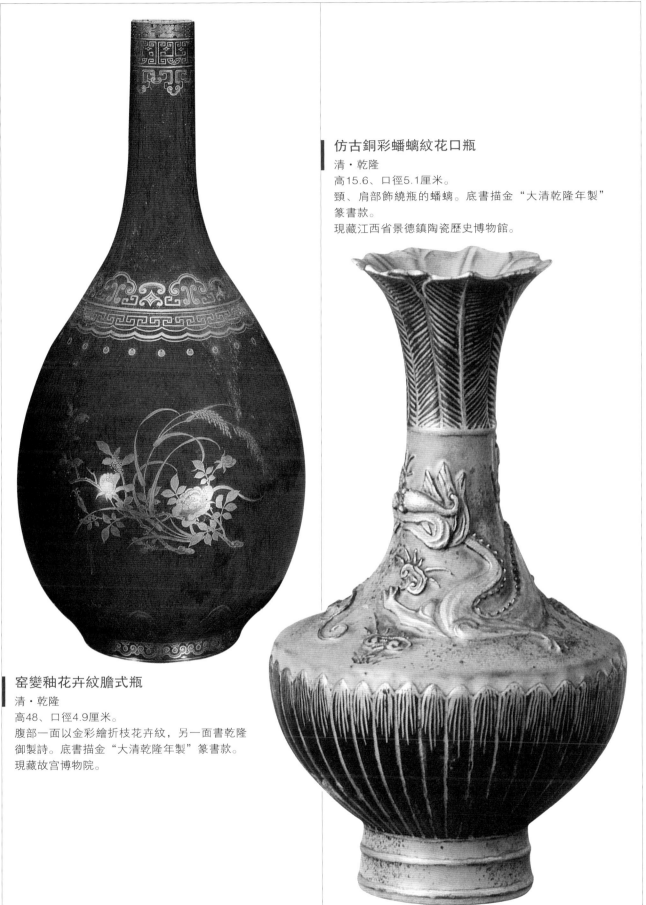

仿古銅彩蟠螭紋花口瓶

清・乾隆
高15.6、口徑5.1厘米。
頸、肩部飾繞瓶的蟠螭。底書描金"大清乾隆年製"
篆書款。
現藏江西省景德鎮陶瓷歷史博物館。

窯變釉花卉紋膽式瓶

清・乾隆
高48、口徑4.9厘米。
腹部一面以金彩繪折枝花卉紋，另一面書乾隆
御製詩。底書描金"大清乾隆年製"篆書款。
現藏故宮博物院。

仿古銅彩犧耳尊

清·乾隆

高21.8、口徑13.2厘米。

通體施銅綠色釉，繪金銀彩幾何紋，類似錯金銀裝飾。

現藏故宮博物院。

仿古銅彩雕螭龍紋三獸足洗

清·乾隆

高13.4、口徑45.7厘米。

洗仿青銅器造型，下置三獸足。通體施仿古銅彩，折沿處雕螭龍紋，外壁繪蓮瓣紋。底有“大清乾隆年製”篆書款。

現藏中國國家博物館。

仿雕漆釉雲龍紋碗

清·乾隆

高5.1、口徑12.8厘米。

碗外壁飾仿雕漆九龍紋，繪正面龍一條，另八條爲姿態各异的行龍。内壁所施金彩爲真金金粉。

現藏南京博物院。

仿石釉雙聯筆筒

清·乾隆

高12.5厘米。

由兩個方形筆筒套聯而成，内外通體施卵石釉。四面開光，開光内書乾隆御製詩。底書金彩"大清乾隆年製"篆書款。

現藏北京藝術博物館。

仿竹刻夔紋筆筒

清·乾隆

高9.8厘米。

器仿竹雕品。筒身三竹節上剔刻由四條夔龍組成的帶狀凸紋，底書"大清乾隆年製"篆書款。現藏上海博物館。

木紋釉多穆壺

清·乾隆

高85、口徑7厘米。

獅形鈕蓋，龍柄，鳳流。器身施仿木紋釉。現藏故宮博物院。

爐鈞釉方尊

清·乾隆

高24、口徑5.9、底徑7.5厘米。

尊呈方形，敞口，頸腹部凸棱上有小孔，圈足。

現藏北京市頤和園管理處。

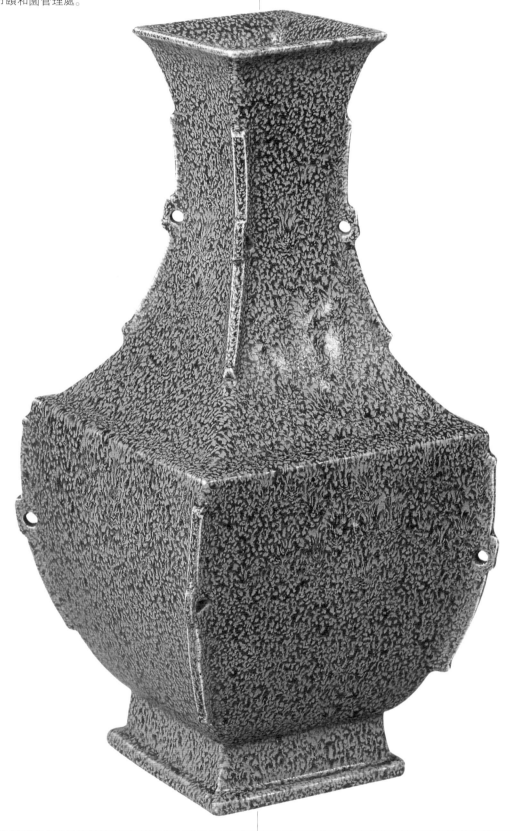

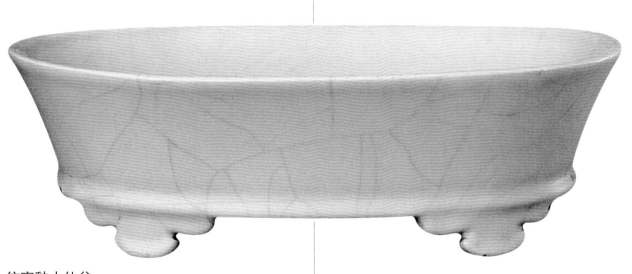

仿官釉水仙盆

清·乾隆

高6.7、口長23.3厘米。

底刻乾隆御製詩一首，句後署“乾隆壬辰御題”，乾隆壬辰年爲乾隆三十七年（公元1772年）。

現藏故宮博物院。

仿汝釉葵花式洗

清·乾隆

高3.4、口徑12.9厘米。

洗呈八瓣葵花式造型，有三蹄足。通體施汝青釉，開細小紋片。底書“大清乾隆年製”篆書款。

現藏南京博物院。

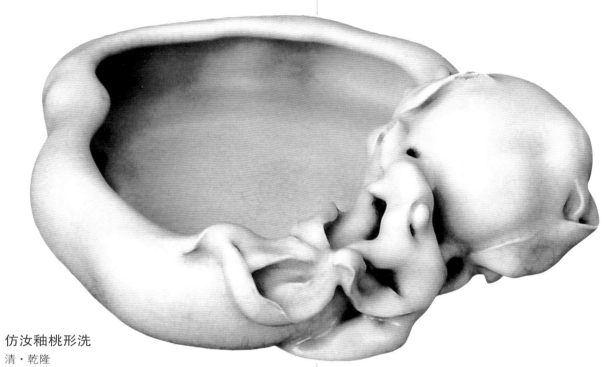

仿汝釉桃形洗

清·乾隆

高5、長16.8厘米。

通體施青灰色的仿汝釉，釉面滿布細碎的紋片。底書青花"大清乾隆年製"篆書款。

現藏故宮博物院。

仿哥釉葉式洗

清·乾隆

長18厘米。

造型似一片樹葉。底書青花"大清乾隆年製"篆書款。

現藏故宮博物院。

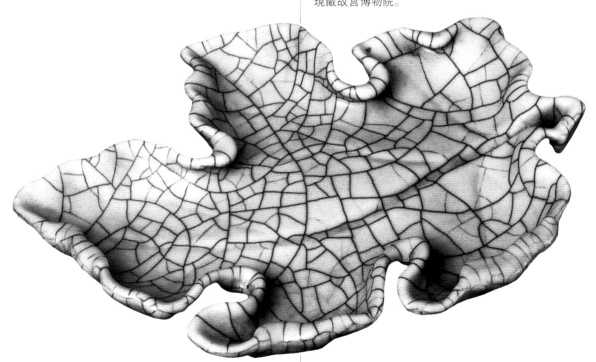

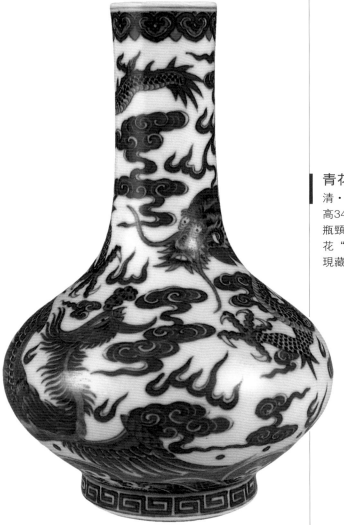

青花龍鳳呈祥紋瓶

清·嘉慶

高21.5、口徑4.4厘米。

瓶外壁通體繪龍鳳呈祥紋，龍上鳳下，飛舞相迎。底書青花"大清嘉慶年製"篆書款。

現藏南京博物院。

青花龍鳳紋雙螭耳瓶

清·嘉慶

高34.6、口徑8.1厘米。

瓶頸部飾對稱螭耳。主題紋飾爲龍鳳穿牡丹紋。底書青花"大清嘉慶年製"篆書款。

現藏中國國家博物館。

青花鹿鶴圖瓶（右圖）

清·嘉慶

高31.5厘米。

頸部置雙耳。頸部繪纏枝蓮紋，腹部繪鹿鶴圖。

現藏上海博物館。

青花纏枝蓮托八寶紋執壺

清·嘉慶

高31厘米。

蓋面及壺身繪纏枝蓮紋，口沿下繪如意頭紋，曲柄和
彎流上繪忍冬紋，腹部繪纏枝蓮托八寶紋，近足處繪
變形蓮瓣紋。

現藏首都博物館。

月御製 嘉慶丁巳小春 足春盡避輕寒 眼攢一顧清典 銚沸驚旗搶影 竹爐添活火石 貢滾詩必月團 佳茗頭綱

青花御製詩托盤

清·嘉慶

高2.4、口長15.9厘米。

内心海棠形開光内書御製詩。開光外、内口沿和外壁均
繪纏枝花卉。御製詩署"嘉慶丁巳小春"，嘉慶丁巳年
爲嘉慶二年（公元1797年）。

現藏首都博物館。

青花紅彩水丞

清·嘉慶

高4.5、口徑3.9厘米。

腹部以紅彩書嘉慶御製詩。底書紅彩"大清嘉慶年製"
篆書款。

現藏上海博物館。

青花蓮花托梵文酥油燈碗

清・嘉慶

高10.8、口徑10.9厘米。

燈碗內心繪團花紋，外壁環飾八組蓮花托梵文圖案。脛部繪蓮瓣紋，高圈足上有藍地白花花葉紋、四瓣海棠朵花紋和瓔珞紋。圈足內橫書青花"大清嘉慶年製"篆書款。

現藏南京博物院。

青花藍地白花紅彩龍紋盤

清・嘉慶

高3.9、口徑17.5厘米。

盤內心、外壁皆在藍地白花上飾龍紋。底書青花"大清嘉慶年製"篆書款。

現藏南京博物院。

鬥彩花鳥紋雙耳瓶

清・嘉慶

高36.2厘米。

頸兩側置戟耳銜飄帶。頸、肩和近底繪花卉紋，腹部繪洞石、菊花、鵪鶉等。底書青花"大清嘉慶年製"篆書款。

現藏故宮博物院。

鬥彩牡丹蝙蝠紋蓋罐

清・嘉慶

高33.7厘米。

頸部繪蕉葉紋，肩上飾如意頭花葉紋，蓋面繪纏枝花卉紋，腹部繪纏枝蓮紋和蝙蝠紋，近足處爲蓮瓣紋。底書青花"大清嘉慶年製"篆書款。

現藏故宮博物院。

粉彩凸雕嬰戲紋螭耳瓶

清・嘉慶

高85.8、口徑31.5厘米。
頸部兩側置螭耳。腹部凸雕百子
嬰戲圖。
現藏故宮博物院。

清（公元一六四四年至公元一九一一年）

粉彩龍鳳穿牡丹紋雙耳瓶（右圖）
清·嘉慶
高23.5厘米。
肩置對稱夔龍耳。腹部繪龍鳳穿花紋。底書青花"大清嘉慶年製"篆書款。
現藏故宮博物院。

粉彩百花圖瓶
清·嘉慶
高30、口徑5.5厘米。
通體繪花卉圖案。底書紅彩"大清嘉慶年製"篆書款。
現藏上海博物館。

粉彩粉地勾蓮紋雕龍瓶

清·嘉慶

高19.1、口徑2.8厘米。

外壁飾纏枝花卉，肩頸部雕一條螭龍。底書
紅彩"大清嘉慶年製"篆書款。

現藏故宮博物院。

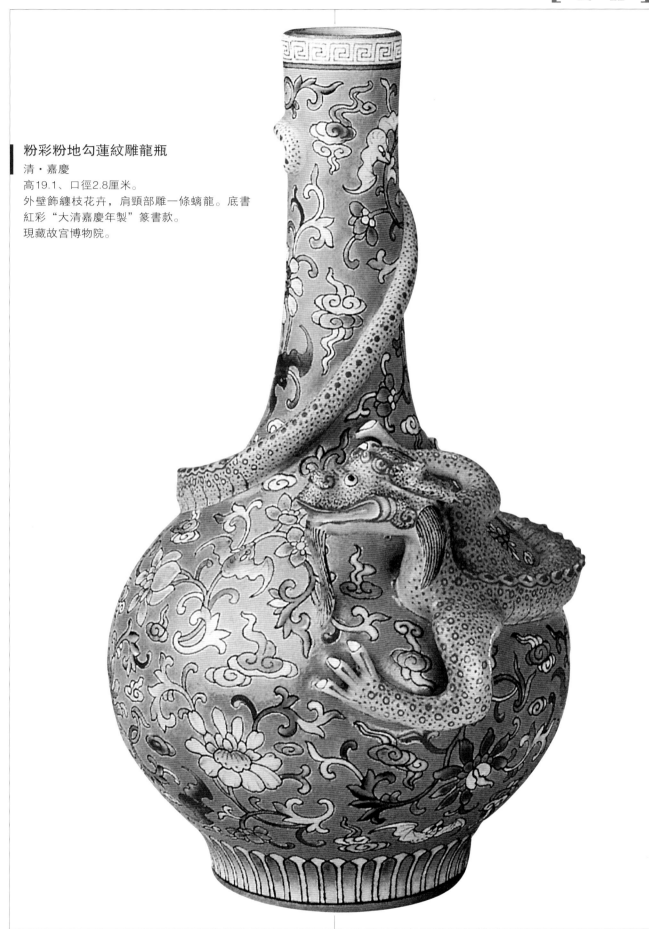

粉彩黃地雲龍紋帽筒

清·嘉慶

高29.7、口徑12.5厘米。

裏施松綠釉。外黃地飾粉彩祥雲趕珠龍紋。底書紅彩"大清嘉慶年製"篆書款。

現藏故宮博物院。

粉彩鳳穿花紋雙聯瓶

清·嘉慶

高15.7厘米。

器由兩個大小不同的瓶連體而成。大瓶紫紅地繪鳳穿花紋，小瓶綠地繪番蓮紋。底書紅彩"嘉慶年製"篆書款。

現藏中國國家博物館。

紫地粉彩番蓮紋鏤空盤

清·嘉慶

高9.3、口徑38.7厘米。

盤折沿處鏤空呈連環式。盤內、外壁飾紫地粉彩番蓮紋等。底書"大清嘉慶年製"篆書款。

現藏中國國家博物館。

紫地粉彩番蓮紋鏤空盤內底

紫地粉彩番蓮紋鏤空盤

清（公元一六四四年至公元一九一一年）

粉彩金地百花紋大碗

清·嘉慶
高9、口徑23厘米。
內外壁繪百花圖案。底書藍彩"慶宜堂製"楷書款。
現藏故宮博物院。

粉彩金地百花紋大碗內底

粉彩開光詩句紋茶壺

清·嘉慶

高15、口徑5.9厘米。

壺蓋、身綠地粉彩繪折枝花卉紋和蓮瓣紋等。腹部兩側有描金海棠形開光，開光內書五律詩一首。底書紅彩"大清嘉慶年製"篆書款。

現藏中國國家博物館。

油紅地五彩描金嬰戲圖碗

清·嘉慶

高9.7、口徑21厘米。

外壁繪嬰戲圖。底書青花"大清嘉慶年製"篆書款。

現藏故宮博物院。

清（公元一六四四年至公元一九一一年）

粉彩黄地蓮托八寶紋爐

清·嘉慶

高23.8、口徑15厘米。

器身飾黄地粉彩勾蓮紋托八寶。口沿横書紅彩"大清嘉慶年製"篆書款。

現藏南京博物院。

胭脂紅彩龍鳳穿牡丹紋罐

清·嘉慶

高50、口徑20.5厘米。

口沿下繪雲肩一周，腹部繪龍鳳穿牡丹紋，近足部繪變
形蓮瓣紋一周。底書紅彩"登瀛閣製"楷書款。

現藏天津博物館。

清（公元一六四四年至公元一九一一年）

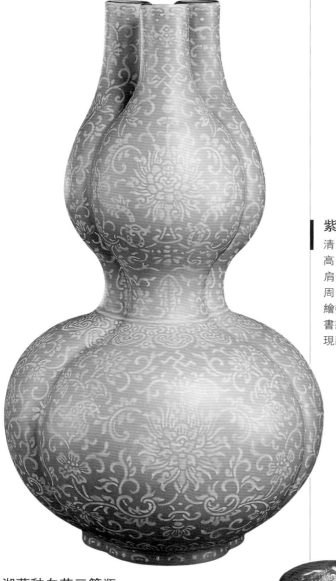

紫金釉描金環耳瓶
清·嘉慶
高19.4、口徑5.6厘米。
肩部置對稱鳩首狀環耳，口沿下繪回紋和如意頭紋一周，頸部繪蕉葉紋，腹部繪纏枝花卉紋，近足部和足墙繪變形蓮瓣紋和捲草紋。底書金彩"大清嘉慶年製"篆書款。
現藏首都博物館。

湖藍釉白花三管瓶
清·嘉慶
高20厘米。
器爲三葫蘆形，連通一體，各有一孔管器口。上下腹繪纏枝蓮紋。底書紅彩"大清嘉慶年製"篆書款。
現藏故宮博物院。

**仿雕漆描金雙龍
戲珠紋冠架**

清·嘉慶

高27.9厘米。

冠架由冠傘、柱、底
座組成。冠傘爲球
形，其下有托，柱爲
葫蘆形，底座呈海棠
式。冠傘刻雲雷地雙
龍戲珠紋。底書金彩
"大清嘉慶年製"篆
書款。

現藏中國國家博物館。

青花暗八仙皮球錦紋包袱式瓶

清·道光

高61.8、口徑15.5厘米。

瓶呈包袱狀，頸部有藍地白花彩帶。外壁上、下腹飾暗八仙紋，皮球紋散布其間。

現藏南京博物院。

爐鈞釉燈籠尊

清·嘉慶

高24、口徑8厘米。

通體及足內施爐鈞釉。底刻"大清嘉慶年製"篆書款。

現藏故宮博物院。

青花八吉祥紋螭耳瓶

清·道光

高30.7、口徑8.2厘米。

頸部置雙螭耳。頸、腹部繪纏枝蓮紋。

底書青花"大清道光年製"篆書款。

現藏上海博物館。

青花蓮托八吉祥紋壺

清・道光

高21.5厘米。

腹部繪朵蓮托八吉祥紋。底
書青花"大清道光年製"篆
書款。

現藏首都博物館。

青花梵文吉語碗

清・道光

高8.5、口徑17.9厘米。

碗內外壁均飾蓮花和梵文。底書
"大清道光年製"篆書款。

現藏上海博物館。

青花纏枝番蓮紋花盆

清·道光

高17、口徑32厘米。

盆呈八方葵花式，下承四如意雲式扁足。口沿面繪八組蓮花紋，外壁飾八組番蓮紋。底書紅彩"慎德堂製"楷書款。

現藏南京博物院。

青花雲龍紋缸

清·道光

高33、口徑28.2厘米。

器身繪海水雲龍紋。底刻"大清道光年製"篆書款。

現藏江西省文物商店。

青花御窰廠圖桌面
清・道光
直徑72.5厘米。
畫面繪清代景德鎮珠山御窰廠景象，
是可貴的陶瓷史研究形象資料。
現藏首都博物館。

青花釉裏紅花蝶紋方瓶（右圖）

清·道光

高37厘米。

頸部繪捲雲紋，頸下及脛部繪蕉葉紋，肩和足部飾回
紋一周，腹部繪花蝶紋。底書青花"大清雍正年製"
篆書仿款。

現藏江西省博物館。

粉彩花卉紋螭耳瓶

清·道光

高32厘米。

頸兩側置螭耳。頸部繪番蓮間以蝙蝠、石榴等，腹部繪
花卉圖案。底書紅彩"慎德堂製"楷書款。

現藏上海博物館。

清（公元一六四四年至公元一九一一年）

粉彩花卉紋螭耳瓶
清・道光
高28.1、口徑9.5厘米。
頸部置雙螭耳。口沿下繪
如意雲頭紋一周，頸肩部
繪纏枝寶相花，腹部繪花
卉紋。底書紅彩"大清道
光年製"篆書款。
現藏故宮博物院。

粉彩蓮塘鷺鷥圖瓶

清·道光

高32.3、口徑9.1厘米。

瓶身通景繪蓮塘鷺鷥圖。底書紅彩"大清道光年製"
篆書款。

現藏中國國家博物館。

粉彩描金蝴蝶紋罐

清·道光

高28、口徑6.5厘米。

通體繪彩蝶圖。底書紅彩"大清道光年製"篆書款。

現藏故宮博物院。

清（公元一六四四年至公元一九一一年）

粉彩黄地勾蓮人物紋瓶

清·道光

高29厘米。

瓶扁方形，頸部飾蝠銜桃形雙耳。瓶身繪神仙人物，
襯以亭臺樓閣。底書紅彩"慎德堂製"楷書款。
現藏故宮博物院。

粉彩耕織圖鹿頭尊

清·道光

高44、口徑16.5厘米。

肩飾對稱夔耳，器身繪"耕織圖"，配墨書耕織詩。

底書青花"大清乾隆年製"篆書仿款。

現藏中國國家博物館。

粉彩蓮花紋蓋碗

清・道光

高9.6、口徑11.5厘米。

蓋附寶珠鈕。器身和器蓋繪仰、覆蓮花紋。底書紅彩"大清道光年製"篆書款。

現藏上海博物館。

粉彩米色地竹菊紋蟋蟀罐

清・道光

高10.8、口徑11厘米。

蓋心繪竹菊紋，蓋邊和壁下各繪連續"卍"字紋，罐身繪竹、菊數叢。底書青花"正齋主人製"楷書款。

現藏故宮博物院。

珐琅彩梅竹纹瓶（右图）

清·道光

高31.2、口径9厘米。

颈部、腹部蓝料彩地开冰裂纹绘白色梅竹纹。

底书"大清道光年制"篆书款。

现藏天津博物馆。

天蓝釉描金盖罐

清·道光

高21.2、口径10厘米。

颈肩部饰莲花、"卍"字和如意花卉纹各一周，腹部饰缠枝莲等纹饰，胫部饰莲瓣纹。底书青花"大清道光年制"篆书款。

现藏故宫博物院。

天藍釉描金三孔葫蘆瓶

清・道光

高27.3、口徑2.3厘米。

通體施天藍釉，金彩作飾，主題紋飾
爲纏枝蓮紋。底書紅彩"慎德堂製"
楷書款。

現藏中國國家博物館。

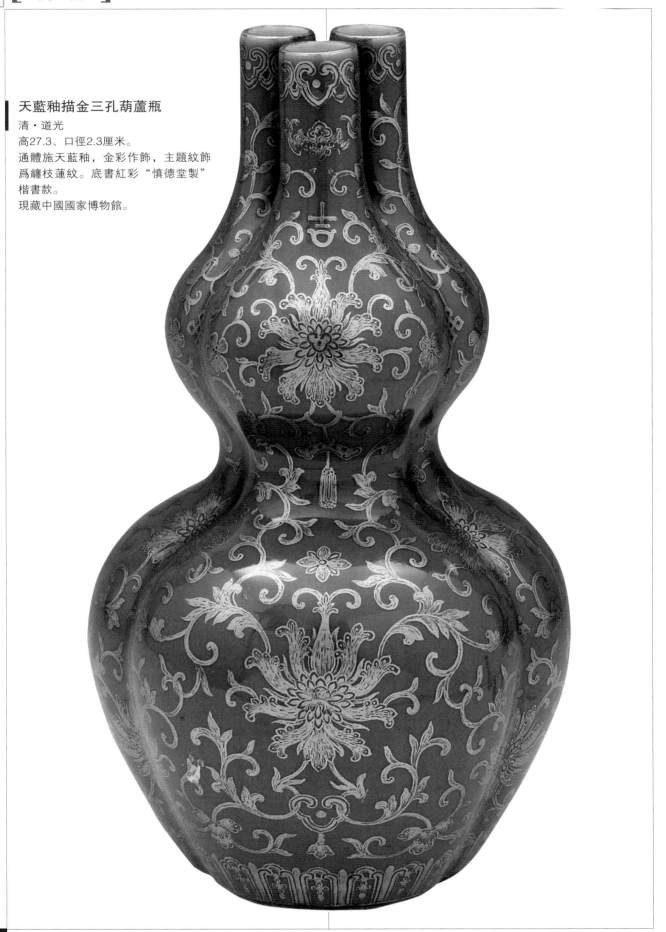

綠彩勾蓮紋盆托

清·道光

高15.5、口寬22厘米。

盆托是花盆下的托盆，六角形。底部無孔。頸部繪番蓮花，腹部繪寶相花。底書紅彩"慎德堂製"楷書款。現藏南京博物院。

松石綠釉竹節花盆

清·道光

高15.7、口徑23.1厘米。

盆斜壁，壁由串成一排的仿竹竿圈成。底書青花"養性軒製"楷書款。現藏故宮博物院。

黄釉仿竹雕筆筒

清·道光

高13.1、口徑15.3厘米。

器表浮雕山水人物紋。底陰刻"道光年製"楷書款。

現藏故宫博物院。

青花三友圖瓶

清·咸豐

高28.5厘米。

頸肩部繪蕉葉紋和捲草紋，腹部繪竹石芭蕉三友圖，近底繪變形蓮瓣紋一周。底書青花"大清咸豐年製"楷書款。

現藏上海博物館。

青花開光粉彩花蝶草蟲紋茶壺

清·咸豐

高10.5、口徑6厘米。

外壁及蓋飾青花纏枝蓮紋，腹部中心開光，開光內繪花蝶草蟲圖。底書青花"咸豐辛亥仲春退思堂主人製"篆書款。咸豐辛亥即咸豐元年（公元1851年）。現藏故宮博物院。

鬥彩描金纏枝花紋碗

清·咸豐

高5.8、口徑10.5厘米。

口沿下飾回紋一周，腹部繪纏枝花卉。底書紅彩"大清咸豐年製"楷書款。

現藏故宮博物院。

清 （公元一六四四年至公元一九一一年）

粉彩青花山水紋雙耳瓶

清・咸豐

高28.4、口徑9.3厘米。

頸部置螭形耳。口下繪如意雲頭紋一周，頸肩部繪纏枝蓮紋，腹部繪山水人物圖，近足爲變形蓮瓣紋，足墻飾回紋一周。底書紅彩 "大清咸豐年製" 楷書款。

現藏故宮博物院。

藍釉描金花卉紋三管瓶

清・咸豐

高28.1厘米。

口部三管獨立。施藍釉，描金彩繪花卉圖案。底書 "大清咸豐年製" 楷書款。

現藏上海博物館。

青花纏枝蓮紋瓶（右圖）

清・同治

高38.9、口徑9.8厘米。

器身繪弦紋、海水紋、蕉葉紋、纏枝蓮紋、蔓草紋等紋
飾。底書青花"大清同治年製"楷書款。

現藏上海博物館。

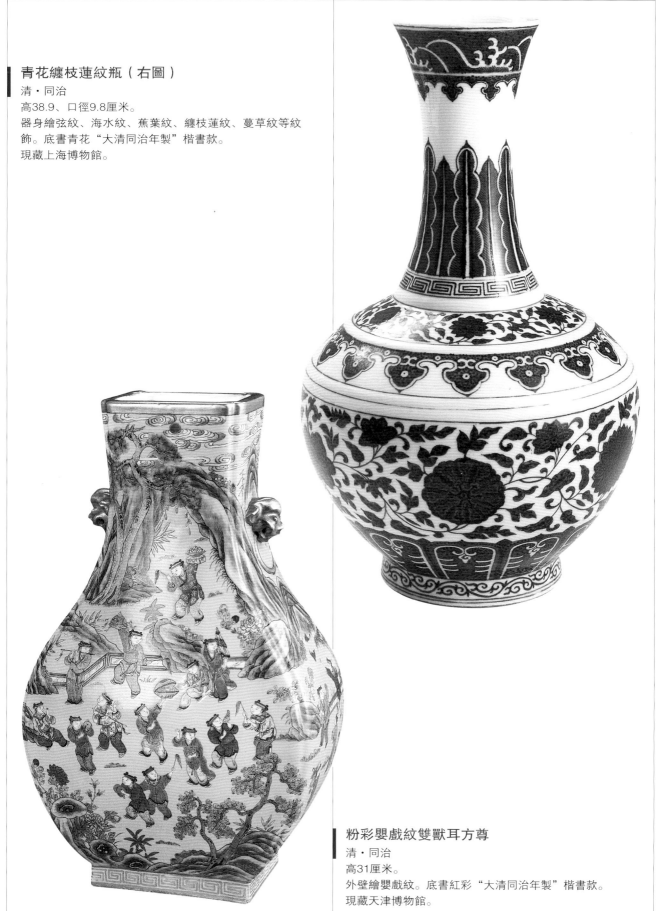

粉彩嬰戲紋雙獸耳方尊

清・同治

高31厘米。

外壁繪嬰戲紋。底書紅彩"大清同治年製"楷書款。

現藏天津博物館。

黃地粉彩喜鵲登梅紋盤

清·同治

高5.7、口徑28厘米。

外壁施白釉，繪粉彩折枝花卉紋。內壁飾黃地喜鵲登梅圖，寓意"喜上眉梢"。底書紅彩"同治年製"楷書款。

現藏南京博物院。

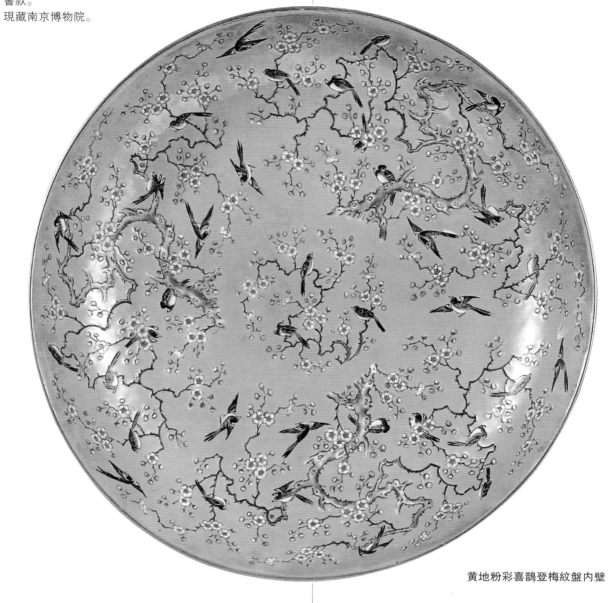

黃地粉彩喜鵲登梅紋盤內壁

礬紅彩雙龍紋杯

清·同治

高4.7、口徑6厘米。

外壁飾礬紅彩雙龍戲珠紋。底書
"大清同治年製"楷書款。

現藏上海博物館。

紅釉描金喜字盤

清·同治

高6、口徑38.3厘米。

口沿描金，內外壁均繪喜字，盤裏心繪一枚團壽，底心
飾粉彩折枝花紋。底書紅彩"同治年製"楷書款。

現藏南京博物院。

湖緑地粉彩紫藤花鳥紋高足碗

清·同治

高13.7、口徑22.2厘米。

碗内、外壁繪紫藤和月季等圖案，

一畫眉鳥立于紫藤枝上。

現藏南京博物院。

紅地粉彩開光龍鳳紋圓盒

清·同治

高22、口徑36厘米。

蓋内壁書四"囍"字，裏心繪金彩如意和銀錠紋，口沿
上下各飾回紋一周，圓形開光内繪龍鳳紋，間以蝴蝶朵
花紋。底書紅彩"長春同慶"楷書款。

現藏故宫博物院。

黃地粉彩花鳥紋花盆

清·同治

高15厘米。

器呈方斗式，下承四足。外壁繪綬帶鳥登梅圖。口沿
下橫書紅彩"大雅齋"楷書款和"天地一家春"橢圓
形印章款。

現藏故宮博物院。

緑地粉彩秋葵紋荷花缸

清·同治
高43.5、口徑42.2厘米。
器表繪秋葵和菊花等花卉。沿下橫書"大雅齋"楷書款
和"天地一家春"橢圓形印章款。
現藏南京博物院。

青花夔鳳紋簋

清·光緒
高7.7厘米。
外壁有環形把手。外口沿和外壁繪雲雷紋和夔鳳紋。底
書紅彩“鋤月山莊仿古”楷書款。
現藏首都博物館。

青花荷蓮紋花盆

清·光緒
高18.8厘米。
腹部繪通景蓮池荷葉紋。底書“體和殿製”篆書款。
現藏南京博物院。

清（公元一六四四年至公元一九一一年）

粉彩五倫圖象耳瓶

清・光緒

高130、口徑36.8厘米。

頸部兩側置紅彩描金象耳。頸部繪團"壽"和"卍"字紋及蝙蝠，腹部繪"五倫圖"，即用五種鳥象徵倫理的五常。

現藏故宮博物院。

粉彩雲蝠紋賞瓶

清・光緒

高38.8、口徑9.7厘米。

瓶外壁繪祥雲和蝙蝠等紋飾。底書紅彩"大清光緒年製"楷書款。

現藏南京博物院。

粉彩花卉紋盤螭長頸瓶

清·光緒

高25.7厘米。

頸部堆塑盤螭，外壁通繪花卉紋。底書青花
"大清乾隆年製"篆書仿款。

現藏江西省文物商店。

清（公元一六四四年至公元一九一一年）

粉彩描金雲龍紋賞瓶（右圖）

清·光緒

高40、口徑10.2厘米。

頸、腹部繪描金雲龍紋。底書青花
"大清光緒年製"楷書款。

現藏故宮博物院。

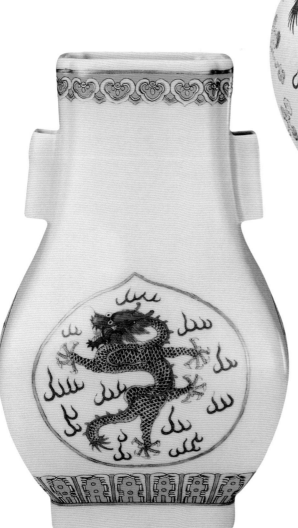

粉彩開光雲龍紋貫耳扁方瓶

清·光緒

高30.5厘米。

頸部兩側置方形貫耳。腹部四面開光，開光內繪紅彩雲
龍。底書青花"大清光緒年製"楷書款。

現藏故宮博物院。

粉彩花卉紋瓶

清・光緒

高24.5、口徑11.5厘米。

外壁繪海棠、梅花等花卉。底書紅彩"永慶長春"楷書款。

現藏故宮博物院。

粉彩桃蝠紋筆筒

清・光緒

高16、口徑13厘米。

外壁繪通景桃石五蝠祥雲海水圖。底書紅彩"長春宮製"楷書款。

現藏故宮博物院。

清（公元一六四四年至公元一九一一年）

粉彩蝴蝶梅花紋花盆

清·光緒
高36.7、口徑30.2厘米。
內壁施半釉，外壁粉彩
繪蝴蝶梅花紋。
現藏南京博物院。

粉彩綬帶牡丹紋花盆

清·光緒
高19.5、口徑28.5厘米。
內壁施半釉，外壁一面粉彩繪綬帶鳥、
牡丹、天竺等紋飾，另一面題詩。
現藏南京博物院。

粉彩李白醉酒圖花盆

清·光緒
高28.3厘米。
外壁一面繪李白醉酒，另一面書詩句。
現藏南京博物院。

粉彩名家詩畫方花盆

清·光緒
高28.3、口徑35厘米。
盆四壁繪山水畫并題名家詩句。
現藏南京博物院。

礬紅彩龍紋盤
清・光緒
高7.8、口徑47.6厘米。
盤內外繪九條趕珠龍紋。底書青花
"儲秀宮製"篆書款。
現藏南京博物院。

霽藍釉描金琮式瓶

清·光緒

高29.5、口徑9厘米。

腹部兩側繪描金花鳥、嘉禾、瑞鹿等圖案。底書青花
"大清光緒年製"楷書款。

現藏故宮博物院。

廣彩方罐形雙耳花插

清·光緒

高25.5厘米。

筒腹上部對稱置雙耳。蓋面及器身飾纏枝花草紋，腹部
和足部開光內繪花卉紋和花果紋。

現藏廣東省博物館。

青花釉里紅墨彩松雪寒鴉圖瓶

清・宣統

高40.5、口徑11.6厘米。

頸部以青花釉裏紅裝飾。腹部墨彩繪松、雪和寒鴉。

現藏上海博物館。

青花纏枝蓮紋賞瓶

清・宣統

高39.6厘米。

腹部繪纏枝蓮紋。底書青花"大清宣統年製"楷書款。

現藏上海博物館。

粉彩牡丹紋玉壺春瓶（右圖）

清·宣統

高29.5、口徑6.7厘米。

外壁繪粉彩牡丹和秋葵紋。底書紅彩
"大清宣統年製"楷書款。

現藏南京博物院。

墨彩竹紋瓶

清·宣統

高47、口徑16.5厘米。

瓶身繪竹紋。底書青花"大清宣統二年
湖南瓷業公司"楷書款。

現藏湖南省文物商店。

年　表

舊石器時代（公元前12000年—公元前8000年）

新石器時代（公元前8000年—公元前2000年）

　　後李文化（公元前6500年—公元前5600年）

　　裴李崗文化（公元前5500年—公元前4900年）

　　磁山文化（公元前5400年—公元前5100年）

　　老觀臺文化（公元前5300年—公元前4000年）

　　北辛文化（公元前5100年—公元前4100年）

　　河姆渡文化（公元前5000年—公元前4000年）

　　仰韶文化（公元前5000年—公元前3000年）

　　大溪文化（公元前4400年—公元前3300年）

　　馬家浜文化（公元前4300年—公元前4000年）

　　大汶口文化（公元前4100年—公元前2600年）

　　紅山文化（公元前4000年—公元前3000年）

　　良渚文化（公元前3300年—公元前2200年）

　　馬家窯文化（公元前3300年—公元前2100年）

　　卡若文化（公元前3300年—公元前2100年）

　　屈家嶺文化（公元前3000年—公元前2600年）

　　龍山文化（公元前2600年—公元前2000年）

　　齊家文化（公元前1900年—公元前1700年）

夏（公元前21世紀—公元前16世紀）

　　夏家店下層文化（相當于夏）

　　四壩文化（相當于夏—商初）

商（公元前16世紀—公元前11世紀）

　　辛店文化（相當于商晚期—西周早期）

西周（公元前11世紀—公元前771年）

　　沙井文化（相當于西周早期—春秋戰國）

春秋（公元前770年—公元前476年）

戰國（公元前475年—公元前221年）

秦（公元前221年—公元前207年）

漢（公元前206年—公元220年）

　　西漢（公元前206年—公元8年）

　　新（公元9年—公元23年）

　　東漢（公元25年—公元220年）

三國（公元220年—公元265年）

　　魏（公元220年—公元265年）

　　蜀（公元221年—公元263年）

　　吳（公元222年—公元280年）

西晉（公元265年—公元316年）

十六國（公元304年—公元439年）

東晉（公元317年—公元420年）

北朝（公元386年—公元581年）

　　北魏（公元386年—公元534年）

　　東魏（公元534年—公元550年）

　　西魏（公元535年—公元556年）

　　北齊（公元550年—公元577年）

　　北周（公元557年—公元581年）

南朝（公元420年—公元589年）

　　宋（公元420年—公元479年）

　　齊（公元479年—公元502年）

　　梁（公元502年—公元557年）

　　陳（公元557年—公元589年）

隋（公元581年—公元618年）

唐（公元618年—公元907年）

五代十國（公元907年—公元960年）

遼（公元916年—公元1125年）

宋（公元960年—公元1279年）

　　北宋（公元960年—公元1127年）

　　南宋（公元1127年—公元1279年）

西夏（公元1038年—公元1227年）

金（公元1115年—公元1234年）

元（公元1271年—公元1368年）

明（公元1368年—公元1644年）

清（公元1644年—公元1911年）